내가 공부하는 이유

HITO WA NAZE MANABANAKEREBA NARANAI NO KA
by SAITO Takashi
Copyrights © 2011 by SAITO Takashi
All rights reserved.

Originally published in Japan by JITSUGYO NO NIHON SHA, Tokyo.
Korean translation rights arranged with JITSUGYO NO NIHON SHA, Japan
through THE SAKAI AGENCY and BC AGENCY
Korean edition copyright © 2014 by Woongjin Think Big Co., Ltd.

일본 메이지대 괴짜 교수의
인생을 바꾸는 평생 공부법

내가 공부하는 이유

사이토 다카시 지음 | 오근영 옮김

걷는나무
walking tree

그 어떤 순간에도
후회 없는 삶을 사는 방법은
오직 공부뿐이다

십 년 전 큰 병을 앓은 적이 있다. 그때 처음으로 인생이라는 긴 마라톤이 중간에 예고도 없이 끝날 수 있다는 것을 실감했다. 내게 남은 시간이 생각보다 훨씬 짧을 수도 있다는 것을 깨닫고 나니 '어떻게 하면 남은 인생을 잘 꾸려 갈 수 있을까'라는 고민이 시작됐다. 병원 침대에 누워 '오늘 하루는 정말 후회 없이 충실하게 보냈다'고 느꼈던 때를 가만히 떠올려 보았다. 시간 가는 줄 모르고 한 권의 책을 다 읽은 날, 마치 손이 저절로 글을 쓰듯 막힘없이 새로운 논문을 완성하던 날, 존경해 마지않는 선생의 강연을 듣던 날 등등 공부의 재미에 푹 빠져 완벽하게 몰입했을 때 나는 충만한 행복감을 느꼈다.

얼마 뒤 병원을 떠날 때 내가 내린 결론은 명료했다.

더욱 즐겁게 공부하는 것.

사실 나는 공부를 좋아하는 사람은 아니었다. 고등학교에 다닐 때만 해도 좋은 점수를 받기 위해 공부를 했지 공부 자체를 즐겼다고 말할 수 있는 순간은 많지 않았다. 하지만 운 좋게도 학창 시절 내내 나의 성적은 최상위권이었고, 그 덕분에 죽을힘을 다해 공부에 매달리지 않아도 좋은 성적을 받을 수 있다는 말도 안 되는 믿음을 갖게 되었다.

그 믿음이 깨진 건 대학 입시에 실패한 후였다. 불합격이라니, 정말 꿈에도 상상하지 못한 일이었다. 공부를 게을리 한 건 맞지만 대학에 떨어진다는 건 납득할 수 없었다. 부끄러운 말이지만 전산상 실수가 아닐까 의심하며 오랫동안 합격 통지서를 기다렸다. 하지만 입학식이 거행되는 날까지 '행정 실수'라는 기적은 일어나지 않았고, 결국 나는 홀로 도쿄에 올라와 재수 생활을 시작하게 됐다.

삶에 대한 어떤 흥미도 없이 이방인처럼 떠돌던 그 무렵 나는 지푸라기라도 잡는 심정으로 인생의 역경을 이겨 낸 사람들의 책을 읽기 시작했다. 비슷한 처지의 사람들로부터 위로받고 싶다는 게 솔직한 심정이었다. 그런데 그들의 이야기에는 고작 재수하는 것 때문에 괴로워했던 나 자신이 한심하게 느껴질 만큼 참담한 고통과 실패가 있었고, 그럼에도 불구하고 삶에 대한 열정을 잃지 않았던 사람들을 보며 용기를 배웠다. 나는 책을 읽으며 서서히 마음의 상처가 치유되는 듯한 기분이 들었다. 그리고 태어나 처음으로 '왜 대학에 가려고 하는가'에 대해 진지하게 고민하기 시작했다. 그때부터 나의 공부는 달라졌다. 점수를 위한 공부, 인정받기 위한 공부가 아니라 나 자신을 위한 공부를 하기 시작한 것이다. 왜 공부해야 하는지를 깨닫게 되자 공부에 더 집중할 수 있었고 자신감도 서서히 회복됐다. 입시 공부이긴 했지만 학창 시절 3년을 합친 것보다 훨씬 더 많은 공부를 했다고 자부한다. 그것도 정말 즐겁게. 그리고 나는 알게 되었다. 공부가 삶의 의지와 기쁨을 되찾아 줄 수도 있다는 것을.

'삶의 호흡이 깊어지는 공부'를 하라

안타깝게도 요즘 사람들은 일단 학교를 졸업하고 사회에 나오면 도통 공부를 하지 않는 것 같다. 즉각적으로 이익을 얻을 수 있는 공부만 하지, 재밌어서 혹은 호기심이 생겨서 책을 읽거나 공부를 하지는 않는다. 그런 건 죽기 전에 여행해야 할 100곳처럼 언젠가 시간이 많을 때 해야 할 목록에 담겨 있는 일일 뿐이다.

그러나 당장 급한 일에 매달릴수록 삶의 호흡은 얕아질 수밖에 없다. 가쁜 호흡이 심장을 자극해 호흡 곤란을 일으키는 것처럼 삶의 호흡이 얕은 사람들은 작은 스트레스에도 인생이 끝난 것처럼 힘들어한다. 그럴 때는 잠시 멈춰 깊은 숨을 들이쉬며 정상적인 호흡을 되찾는 시간이 필요하다.

나는 뭔가를 즐기며 배우는 것이 바로 그런 '깊은 호흡'이라고 생각한다. 몸이 신선한 산소를 받아들이며 새로운 활력을 심장에 불어넣듯이, '호흡이 깊은 공부'는 새로운 지식으로 마음의 세포를 재생시켜 지친 마음을 치유하고 더 나은 사람이 될 수 있다는 자신감을 불어넣어 준다.

작은 일로 쓸데없이 속을 끓이거나 뜻대로 되지 않는 인간관계나 일 때문에 괴로워하는 마음을 위로해 주고 똑같은 실수를 저지르지 않는 지혜를 주는 것도 오직 공부뿐이다.

공부는 우리의 지식 체계를 풍성하게 하고 생각하는 법을 길러 주며, 어떤 어려움 속에서도 방황하지 않고 인생을 스스로 헤쳐 나갈 수 있도록 도와준다. 그래서 좋지 않은 환경에서 성장했거나 살면서 몇 번씩 실패를 겪어도 공부하는 사람은 함부로 인생을 망치지 않는다. 미국의 노숙자들에게 희망과 인생을 되찾아 준 것이 기부금도, 복지 제도도 아닌 '클레멘트 코스'라는 인문학 강좌였던 것처럼 배움을 향한 열정은 삶을 빛나게 만든다.

인문학을 가르치는 선생이자 공부하는 학생으로 살아온 지 올해로 20년이 되었다. 학교나 기업에서 강연을 할 때마다 어떤 위기의 순간에도 흔들리지 않는 내공을 키우는 법을 알려 달라는 질문을 많이 받는다. 그때 내가 하는 조언은 늘 하나다. '호흡이 깊은 공부'를 하라는 것이다.

어디에도 소속되지 않은 재수생으로 외롭게 살아갈 때 자존감을 다시 세워 준 것도 공부였고, 미래가 막막하기만 했던 대학원 시절을 버티게 해 준 것도 공부였다. 또 큰 병을 앓으며 앞으로 어떻게 살아야 할지를 고민할 때 후회 없이 인생을 사는 방법으로 찾아낸 것 역시 공부였다. 똑같은 실패를 겪어도 꾸준히 공부하는 사람과 공부하지 않은 사람의 미래는 완전히 다르다.

공부는 자신의 내면에 나무를 한 그루 심는 것과 같다. 내면에 다양한 나무들이 건강하게 자라는 생명력 넘치는 생태계가 형성되면 어지간한 어려움에는 쉬이 꺾이지도 시들지도 않는다. 그러므로 일도 사랑도 꿈도 마음처럼 이루어지지 않아 괴롭고 힘들다면, 하루하루 더 좋은 사람으로 성장하고 싶다면, 단 한 시간이라도 진심으로 즐길 수 있는 호흡이 깊은 공부를 시작하길 바란다. 하루 온종일 책을 읽고 공부하지 않아도 좋다. 그저 '오늘 하루는 이걸 배웠지' 하는 정도면 된다. 그리고 새로운 지혜를 얻었다는 기쁨을 만끽하자. 이렇게 공부가 인생의 축이 된다면 그 인생은 죽는 마지막 날까지 헛되지 않을 것이다. 그리고 이 책이 그런 충실한 인생을 가져다주는 '공부'의 계기가 되었으면 좋겠다.

사이토 다카시

차례

chapter 1

세상에
쓸모없는
공부란
없다

늘 결심만 하고 포기하는 당신에게

　내가 학생들을 가르치는 선생이 된 것도 벌써 20년째다. 선생은 학생이 흥미를 잃지 않고 적극적으로 공부할 수 있도록 이끌어 주기 위해서 학생 못지않게 많은 공부를 해야 한다. 하는 일은 '잘 가르치는 것'이지만 그것을 위해 끊임없이 새로운 지식을 공부하고 어떻게 잘 전달할 수 있을지 연구하는 사람으로 살아야 한다는 말이다. 즉 나는 선생인 동시에 학생으로 평생을 살아온 셈이다.

　그런 나라고 공부가 하기 싫고 이쯤에서 포기하고 싶다는 생각을 해 보지 않았을 리가 없다. 공부를 접고 아예 다른 길로 가

볼까 고민했던 적은 여러 번 있었지만 그중에서도 가장 큰 위기는 선생이 된 지 8년째가 되던 해에 왔다. 공부하고 가르치는 일에 전문가 정도는 되었다고 생각하던 시기였는데, 당시 쓰고 있던 논문이 원래 계획과 달리 자꾸 틀어지고 뜻대로 풀리지 않았다. 논문과 관련된 수많은 책을 찾아 읽으며 공부를 해도 미로 속을 계속 헤매는 느낌이었다. 더 이상 발전이 없다는 생각에 '그냥 이쯤에서 포기해 버릴까'라는 고민을 하기도 했다. 지금 그때를 돌이켜 보면 '이렇게 공부를 하는 게 도대체 무슨 의미가 있을까?'라는 질문을 많이 던졌던 것 같다.

결국 나는 그 논문을 완성하지 못했다. 그 순간에는 모든 노력이 수포로 돌아갔다는 생각에 엄청나게 허탈했고 좌절감이 밀려와서 견디기 힘들었다. 한동안은 쳐다보기도 싫어서 공부했던 것들을 다 정리해 보이지 않는 곳에 치워 뒀을 정도였다. 그런데 반전은 그 뒤에 일어났다. 시간이 흐르면서 내가 끝내지 못했던 공부를 객관적으로 다시 볼 수 있게 되자 전에는 떠올릴 수 없었던 새로운 생각들이 하나둘 솟아난 것이다. 2년 뒤, 나는 그 논문에서 풀리지 않았던 문제들을 가지고 새로운 주제의 논문을 써서 발표했다.

내가 이 경험을 통해 배운 것은 공부를 한 결과가 지금 당장 눈에 보이지 않는 것 같아도 공부한 것이 절대 사라지지는 않는다는 것이었다. 그 공부는 마치 나무의 나이테처럼 내 안에 각인되어 필요할 때 전혀 새로운 형태로 다시 나타나 뜻밖의 성과를 가져다준다. 그 깨달음이 나를 평생 공부할 수 있도록 해 준 힘이라고 해도 과언이 아니다.

당신은 왜 포기하는가

내 마음대로 되지 않는 공부 앞에서 의지가 약해지고 끝내 공부를 포기한 경험은 나뿐 아니라 누구나 한 번쯤은 가지고 있을 것이다. 많은 사람들이 공부를 하려고 마음을 먹지만 아주 쉽게 포기해 버린다.

우리는 왜 자꾸 공부를 포기하게 되는 것일까? 분명 당신이 이책을 골랐을 때는 공부를 해야겠다는 의지가 있었기 때문이었을 것이다. 누가 시킨 것도 아닌데 그런 생각을 했다는 것은 분명 큰 변화이며 기쁜 일이다.

그런데 막상 공부를 꾸준히 하려고 하면 상황이, 마음이 바뀐다. 의욕이 앞서 책을 잔뜩 사왔지만 시간이 없다는 이유로 차일피일 미루다 보면 어느새 책은 책장에 그대로 꽂힌 채 기억에서 잊혀지기 일쑤고, 빠지지 않고 모두 나가리라 결심했던 강의는 회사가 바빠서 혹은 갑자기 친구들과의 약속이 잡혀서 한두 번 빠지다 보면 이제는 강의를 들으러 가는 것 자체가 귀찮아진다. 한두 달 굳은 의지로 공부를 했는데 어쩐지 머릿속에 남는 것도 없는 것 같고, 열심히 한 것에 비해 성과도 없고 보람도 없는 것 같아 '역시 잘 안 되는구나' 하고 흐지부지 포기해 버린다. 무엇 때문에 자극을 받은 것인지는 개인마다 다르겠지만 내면 깊은 곳에서 자연스럽게 생겨났던 '공부를 해야겠다'는 의지가 결심으로만 끝나 버리는 것이다.

나는 사람들이 자꾸 공부를 포기하는 이유가 시험과 성적으로만 평가되는 공부를 했기 때문이라고 생각한다. 즉 공부의 시작과 끝, 목표가 오로지 시험과 그 결과인 성적으로 좌지우지되는 공부만 해 왔기 때문에 어른이 된 이후의 공부는 갑자기 길을 잃어버리는 것이다. 누가 시키는 것도 아니고, 반드시 통과해야 할 시험도 없다. 그런데 과거에 했던 경험대로 공부를 하려고 하니 제대로 될 리가 없다.

공부를 결심으로만 끝내지 않으려면, 그래서 금세 포기하지 않고 꾸준히 공부하는 삶을 살려면 어린 시절부터 가지고 있었던 공부에 대한 생각을 바꾸어야 한다.

1. 스스로 공부의 방향과 목표를 정하는 것이 진짜 공부의 시작이다

시험이 있는 공부는 공부하기가 참 편하다. 시험 날짜와 내용이 정해져 있기 때문에 어디에서 어디까지 어떻게 공부할지 구체적인 계획을 세울 수 있다. 공부를 하는 중간중간 내 실력이 어느 정도인지 가늠하고 보완하는 것도 가능하다. 그뿐인가. 시험이 끝나면 점수가 나오니 객관적인 결과를 바탕으로 어디가 얼마나 부족한지 파악할 수 있다. 공부의 범위와 목표가 명확하게 정해져 있어 동기부여가 쉽고, 목표를 달성하기까지 혼란에 빠지는 일도 적다.

그런데 어른이 되면 이렇게 하라, 저렇게 하라 공부를 시키는 사람도, 학교도, 시험도 없다. 하물며 대학을 다닐 때만 해도 시험과 과제가 있었는데, 이제는 강의를 듣든 책을 읽든 혼자서 공부를 해야 한다. 철학을 공부해 보려고 마음먹은 사람에게 이번 학기는 니체를 배울 예정이며 각자 주제를 정해 소논문을 쓰고 학기 말에 제출하라고 학습 목표를 정해 주는 사람이 없는 것이다. 철저히 혼자의 힘으로 어떤 공부를 어떻게 할지 정해야 한다.

클래식이나 미술, 심리학 같은 분야를 공부하려 할 때도 마찬가지다. 어느 분야든 '입문 – 중급 – 고급'에 해당하는 책이나 강의를 추천받을 수는 있지만, 그 책이나 강의의 내용을 어떻게 나의 지식으로 만드느냐는 어디에도 나와 있지 않다. 한마디로 어른이 된 이후의 공부는 '틀'이 없고 객관적이고 측정 가능한 공부법도 없다.

시험을 위한 공부만을 했던 사람들에게 정해져 있는 공부의 틀이 없다는 것은 무척 낯설고 당황스러운 상황일 수밖에 없다. 그러니 공부를 하려고 마음을 먹었다가도 책을 몇 권 사고 강의를 찾아 듣는 것 외에 내가 할 수 있는 것이 무엇인지 몰라 막막하고, 지금 잘 하고 있는 건지 모르겠다는 불안감이 생기는 것은 어찌 보면 당연한 반응이다.

내가 얼마나 공부했고 앞으로 얼마나 더 공부해야 하는지 가늠을 할 수 있어야 위기가 와도 포기하지 않고 버틸 수 있는데, 그것이 불분명하게 느껴져서 니체나 프로이트 같은 그 분야에서 가장 유명한 사람의 베스트셀러만 몇 권 읽거나 남들이 하는 공부를 따라 하다 흐지부지 포기해 버린다.

그러나 스스로 공부의 방향과 목표를 설정하는 것에서부터 진정한 공부는 시작된다. 누구의 강요에 의해서가 아닌 내가 진정으로 필요로 하는 공부 혹은 내가 인생을 사는 데 든든한 이정표가 되어 줄 공부를 찾고, 유행이나 남들의 시선에 좌지우지되지 않는 나만의 목표를 세우는 것이 공부의 첫 출발점인 것이다. 그 래야 외부의 상황에 휩쓸리지 않고, 한계에 부딪혀도 금세 포기 하지 않을 수 있다.

그러므로 지금 공부를 해야겠다고 마음먹었다면 막연히 '남들 이 다 하는 거니까……'라고 생각하며 남들이 읽는 책, 남들이 하는 공부법을 그대로 모방하지 말고 나만의 공부법이 무엇인지 를 깊이 고민하는 것부터 시작하자.

2. 공부는 나를 배신하지 않는다

1년 동안 열심히 니체와 관련된 책을 읽는다고 하자. 내 안에 얼 마나 깊은 내공이 생겼을까? 솔직히 '알 수 없다'는 게 내 대답이 다. 그렇다 보니 공부에 대한 의지를 불태우다가도 '공부를 해도 아무런 소득이 없는 것 같은데 계속해야 하나? 시간 낭비 아닌 가?' 혹은 '이렇게 공부하는 것이 무슨 의미가 있나?'라는 회의 감에 빠지기 쉽다.

내가 과거에 공부를 포기하고 싶다고 생각한 것도 원하는 결 과가 제대로 나오지 않았기 때문이었다. 공부를 하며 쉽지 않은 길을 가고 있는데 만족할 만한 결과가 나오지 않는다면 아무리 공부를 업으로 삼은 사람이라고 해도 힘이 빠질 수밖에 없다. 그래서 나도 모르게 스스로를 다그쳐 온 것이다.

그렇다면 다시 질문으로 돌아가서, 1년 동안 한 니체 공부는 다 어디로 갔을까? 이 질문에 나는 이렇게 답한다. '내 안 어딘가에 있다.'

공부는 나를 배신하지 않는다. 물론 공부했던 것들이 얼마나 어떻게 남아 있는지는 사람마다 다 다를 것이다. 책을 건성으로 읽은 뒤 주요 내용만 기억하는 사람과 이 책이 나에게 어떤 생각할 거리를 던져 주었는지 다시 한 번 생각해 본 사람은 똑같은 책을 읽었다고 해도 훗날 기억하는 것이 완전히 다르다. 만약 후자의 방법대로 꾸준히 공부를 해 왔다면 그 공부는 내 생각과 인생에 알게 모르게 영향을 미치고 있을 것이며, 언제가 되든 반드시 놀라운 힘을 발휘할 때가 올 것이다.

또한 공부는 짧은 기간에 완성할 수 있는 것이 아니다. 만약 그게 가능하다면 우리는 누구나 데카르트나 뉴턴 못지않은 훌륭한 철학자, 과학자가 될 수 있었을 것이다. 그러니 절대 조급해하지 말고 성급하게 포기하지 않기를 바란다. 해야 할 일이 잔뜩 쌓여 있는데도 일단 공부를 시작했다면 그것만으로도 충분히 의미 있는 발걸음을 내딛은 셈이다.

3. 잠깐 열심히 하는 것보다 조금씩 오래 하는 것이 낫다

처음에는 누구나 의욕에 넘친다. 일주일에 몇 시간 이상 공부를 하겠다거나 책을 몇 권 읽겠다는 식으로 열심히 계획을 세우고 얼마나 지켰는지 꼼꼼하게 따진다. 그런데 문제는 한두 달 잠깐 열심히 공부하는 것은 쉽지만, 그것이 6개월 혹은 1년 이상 지속 되기는 어렵다는 것이다. 아무리 노력을 해도 계획을 방해하는 일이 여기저기서 튀어나오기 때문이다. 특히 직장인들은 자신이 원하든 원치 않든 하루의 많은 시간을 회사에서 일을 하는 데 써 야 하며 때때로 중요한 프로젝트나 마감이 있을 때는 일상생활 을 잠시 접어 두어야 할 정도로 일에 몰두해야 한다. 의욕적으로 공부를 시작했다가도 일주일 내내 야근을 해야 하는 상황이라면 어쩔 수 없이 공부는 뒷전이 된다.

나름대로 열심히 한다는 생각이 들 때는 그 뿌듯함에 힘입어 공부가 지속되기도 하지만 내 계획대로 되지 않으면 '역시 난 안 되나 보다. 집중할 시간도 없는데 그만하고 싶다'라는 생각이 슬 그머니 든다. 그러다 보니 몇 달은 공부를 열심히 했다가도 금세 포기한다. 특히 많은 시간을 투자하는 것이 공부를 열심히 하는 길이라고 믿는 사람들일수록 몸이 고단하거나 다른 바쁜 일이 생길 때마다 공부를 중단해 버리고, 한참 뒤에 다시 공부를 시작하기 때문에 공부 패턴이 굉장히 짧다.

하루에 3시간씩 공부하겠다고 욕심내지 말고 하루에 30분이라도 꾸준하게 1년 공부하는 것이 낫다. 그렇게 해야 지치지 않고, 포기하지 않고 오래 공부할 수 있으며 평생 공부를 가까이 하면서 살 수 있다.

이렇게 생각을 바꾸면 지금 하는 공부의 양과 질을 가지고 스스로를 평가하는 것이 아니라 공부 자체를 내 삶의 일부로 만들려면 어떻게 해야 할지를 고민하게 된다.

우리가 자연스럽게 일하고, 쉬고, 여가를 즐기는 것처럼 공부하는 시간이 내 일상이 되도록 균형점을 찾아 나가길 바란다. 그래야 다른 일 때문에 계속 우선순위에서 밀려 공부가 멀어지게 되는 일이 없다.

공부는 쉽게 결과를 얻을 수 있는 것이 아니다. 그러니 100미터를 15초 만에 가겠다고 생각하지 말고, 한 발짝씩 옮겨 100킬로미터를 가겠다고 생각하라. 결국 중요한 것은 '누가 포기하지 않고 멀리 갈 것인가'이다. 공부를 잘해서 더 좋은 대학에 가려는 것도 아니고, 뛰어난 학자가 되려는 것도 아니지 않은가. 우리의 목표는 그런 의미의 성과를 거두는 것이 아니라 평생 공부를 통해 혼란과 위기가 수시로 등장하는 인생에서 흔들리지 않을 내공을 갖는 것이다.

당신의 마음속에 숨어 있는 공부를 향한 의지를 외면하지 말고 그 불꽃을 키워 나가길 바란다. 내면에 꺼지지 않는 불을 가지고 있는 사람만큼 열정적이고 단단한 사람은 없으니 말이다.

공부하는 사람과
공부하지 않는 사람의 미래는
완전히 다르다

CASE 1

제2차 세계대전 중 영국의 버나드 몽고메리 장군은 독일군이 라인 강 다리를 격파하기 전에 그 다리를 차지해야 했다. 그래서 아른험 근처에 공수부대를 투입할 계획을 세웠는데, 뒤늦게 낙하산 투하 지점 바로 옆에 독일 군대가 주둔해 있다는 정보를 입수했다. 그렇지만 그는 그 정보를 믿지 않고 무시해 버렸고, 자신의 계획대로 공수부대를 투입했다. 그는 공수부대 요원의 4분의 3을 잃고 나서야 자신의 계획이 잘못된 것이라는 것을 인정하고 전투를 포기했다.

CASE 2

1977년 심리학자 리처드 니스벳과 타소미 윌슨은 미국의 백화점에서 한 가지 실험을 했다. 임시로 작은 상점을 열고 사람들에게 4가지 종류의 스타킹을 비교해 보고 어떤 것이 더 좋은지 말해 달라고 요청했다. 사실 그 스타킹은 모두 같은 것이었지만 사람들은 이 상품이 감촉이 더 부드럽다거나 색이 마음에 든다는 식으로 차이점을 설명했다.

첫 번째 사례는 우리가 "나는 틀릴 수 있다" 혹은 "나는 모른다"라고 말하기가 얼마나 어려운지를 보여 준다. 몽고메리 장군은 믿을 만한 정보를 통해 자신의 계획이 부하들을 죽음으로 몰아넣을 수도 있다는 것을 알고 있었는데도 그것을 외면하며 잘못된 결과를 향해 스스로 몸을 던졌다. "내 계획이 잘못된 것이었군"이라고 한마디만 했더라면 그런 패배는 겪지 않았을 것이다. 그러나 끝내 내가 틀렸다는 사실을 인정하지 못해서 큰 희생을 치러야 했다.

두 번째 사례는 사람들이 내가 잘 모른다는 사실을 솔직하게 이야기하기를 어려워하며, 심지어는 그 사실을 감추기 위해 아는 것처럼 꾸며서 천연덕스럽게 거짓말까지 한다는 사실을 단적으로 보여 준다. 사람이 '잘 모른다'는 사실을 감추기 위해 얼마나 기억을 조작하고 자신의 오류를 인정하지 않는지를 간과한다면 매번 예상치 못한 엉뚱한 결과를 얻게 될 것이다. 만약 사소한 실수로 끝나면 다행이겠지만 회사의 존폐를 좌우할 수 있는 위험한 결정을 내리게 될 수도 있고, 사람의 생명이 위험해질 수도 있다. 몽고메리처럼 말이다.

문제는 공부를 많이 하고 누구보다 뛰어난 능력을 가진 사람일수록 내가 잘 모른다는 사실 혹은 틀릴 수도 있다는 사실을 스스로 인정하기가 무척 어렵다는 것이다. 그들은 이미 뛰어난 지식과 풍부한 경험을 가지고 있으며 그것을 바탕으로 실패보다는 성공을 더 많이 경험했다고 믿기 때문에 지금도 부족한 것이 없고 새로운 것을 더 배울 필요도 없다고 생각한다.

고무를 소재로 가정용품을 만드는 세계적인 기업 러버메이드의 CEO였던 볼프강 슈미트는 자부심이 무척 강한 사람이었다. 그는 아주 복잡한 기업 인수에 대해 이야기할 때면 다른 관점의 이야기는 듣지도 않고 "내 생각엔 이게 우리가 갈 길이야"라고만 이야기했다. 그래서 주변 사람들은 "볼프강은 모든 주제에 대해 모든 것을 알고 있는 사람"이라는 농담을 하곤 했다. 한마디로 그는 어려운 일을 빨리 해결해서 자신의 능력을 보여주는 것을 중요하게 생각하는 사람이었다. 이런 사람은 모든 결정은 자신이 내려야 하고, 다른 관점의 이야기는 들을 필요가 없다고 생각한다.

과연 그는 자신의 믿음대로 승승장구했을까? 불행하게도 러버메이드는 경영상 위기를 겪게 되었고 결국 뉴엘이라는 기업에 의해 인수되고 말았다. 만약 당신이 일하고 있는 조직을 이끄는 리더가 이런 사람이라면 조직의 규모가 크든 작든, 바로 그 한 사람에 의해 조직의 성패가 좌지우지될지도 모른다. 게다가 유능하다는 것은 그만큼 과거에 성공한 경험이 많다는 뜻이라 과거의 생각이나 일하는 방식을 계속 고수하게 된다. 예전에 성공할 수 있었던 것은 그때의 환경과 조건이 미친 영향이 큰데도, 지금은 상황이 다르다는 사실을 고려하지 못한다. 과거의 경험이 미래의 성공을 보장해 주는 것이 아닌데 더 나은 방법은 없는지를 더 고민하지 않는 것이다.

유능한 사람일수록 공부가 필요하다

사람이라면 누구나 자신의 생각이 가장 옳고, 더 이상 고칠 것이 없게 완벽하다는 편견에서 벗어나기가 어려운 것은 사실이다. 때때로 이런 편견은 현재 자신의 모습을 긍정하고 신념대로 살아가도록 하는 힘이 되기도 한다. 그러나 이 '긍정'이 밖으로 열려 있지 않다면, 다시 말해 나는 충분히 능력이 있지만 배우고 성장할 여지도 많다고 생각하지 않는다면 자기만의 성에 갇혀 있는 꼴이 될 수 있다.

특히 유능하고 똑똑하다는 자부심이 크다면, 성공한 경험이 많다면 스스로를 과신하다 함정에 빠질 확률은 더욱 높아진다. '내 생각에는 틀렸거나 정확히 모르는 부분이 있으며 그 부분을 채우기 위해 배울 준비가 되어 있다'라는 점을 잊지 말아야 계속해서 성장할 수 있다. 이때 공부는 매우 유용한 도구가 될 수 있다. 공부는 내가 모르는 것이 무엇인지 점검하는 데서 시작하기 때문이다.

일본의 대표적인 교육자이자 시인인 사이토 기하쿠는 '공부의 기본은 자신의 고정관념을 계속 깨뜨려 나가는 것'이라고 했다. 진정한 공부란 내가 맞다고 의심없이 믿어 온 것이 정말 맞는 것인지를 따지는 것에서부터 시작된다는 것이다. 그는 "아이들을 어떻게 뒤흔들어 줄까"라는 질문을 스스로에게 던지며 아이들이 자신만의 성 밖으로 나오는 것을 돕는 것이 자신의 사명임을 잊지 않으려 했다.

인류의 스승이라고 불리는 공자와 소크라테스도 '내가 알고 있는 것은 무엇인가? 그게 진실임이 확실한가?'라는 질문을 던지며 공부를 시작했다. 내가 모르는 것이 무엇인지, 내가 잘못 생각한 것은 무엇인지를 제대로 알고 있지 않으면 아무리 뛰어난 스승이 불변의 진리를 가르쳐 주기 위해 애써도 소용이 없다고 생각했기 때문이었다.

완벽하다 믿었던 나의 지식 체계에 빈 구멍이 많다는 사실을 직접 확인하는 순간에는 뒤통수를 맞는 듯한 충격을 받을 수도 있다. 그것은 어찌 보면 굉장히 피곤한 과정이며, 그동안 쌓아 온 지식을 모두 폐기해야 하는 막막한 상황과 마주칠 때도 있다. 그러나 이런 과정은 공부를 통해 한 단계 더 도약하는 계기가 되며 그때 비로소 머리와 내면이 동시에 성장할 수 있게 된다.

처음에는 공부를 하는 사람과 하지 않는 사람이 비슷해 보이지만 일정 시간이 지나면 그 차이는 따라잡을 수 없을 만큼 커진다. 두 사람의 미래가 완전히 다를 것이라는 점은 누구라도 쉽게 예상할 수 있다. 성공의 길을 달리던 CEO 볼프강 슈미트가 지금보다 더 많이 배우기 위해 노력하는 사람이었다면 실패를 경험하지 않았을지도 모른다.

특히 당신이 어떤 조직을 이끄는 사람이거나, 중요한 결정을 내려야 하는 자리에 있다면 더더욱 공부를 가까이하길 바란다. 당신이 어떤 실수를 저지를 때 옆에서 정확하게 조언을 해 주는 사람을 만나기도 쉽지 않을뿐더러, 나는 그 누구보다 경험이 많고 잘 알고 있다는 생각을 하고 있다면 그 조언이 귀에 들어오지도 않는다. 자신의 지식과 경험, 능력을 과신하는 것을 경계하고 싶을 때 공부는 겸손한 학생의 마음을 잊지 않도록 도와줄 것이다.

당신이 박사 학위를 딴 사람이든 고등학교 졸업이 전부인 사람이든, CEO든 신입 사원이든 인생을 살아감에 있어서 '나는 앞으로 배울 것이 더 많은 사람이다'라는 마음가짐을 잊지 마라. 사람이 완벽할 수는 없다. 그렇지만 자신이 부족하다는 것을 잊지 않고 배울 준비가 되어 있다면 어제보다 오늘 더, 오늘보다 내일 더 발전해 나갈 수 있다. 많은 사람들이 이런 점을 잊고 살기 때문에 반복해서 같은 실수를 하고 자신의 한계를 뛰어넘지 못한다.

우리가 일상적으로 해결해야 할 문제들은 대부분 정답이라는 게 없지 않은가. '지금 이직을 하는 것이 좋은가?', '이 프로젝트에서 발견된 문제를 해결할 방법은 무엇인가?'라는 질문에 답은 없다. 이런 문제들을 슬기롭게 해결하기 위한 유일한 방법은 '내가 지금 최선의 답이라고 생각하는 것보다 조금 더 나은 답은 없을까'라는 질문을 계속 던지는 것이다.

최고의 자리에 오르게 하는 힘은
어디에서 오는가

영화 〈쉘 위 댄스〉에는 화목한 가족과 예쁜 2층 집에서 살고 있으며 성실하게 회사를 다니고 있는 샐러리맨 수기야마가 등장한다. 그는 엄청난 성공을 거둔 것은 아니지만 남부럽지 않은 모범적인 삶을 살고 있는데, 매일 반복되는 생활 속에서 자신도 모르게 무기력함과 공허함을 느끼게 된다. 이 평범한 남자의 일상은 우리 주변 어디에서나 만날 수 있을 만큼 흔하고 익숙해서 그가 춤을 통해 인생의 즐거움을 찾아가는 내용에 많은 사람들이 깊이 공감하며 무기력했던 자신의 삶을 돌아봤다.

영화 속 주인공 수기야마처럼 직장을 10년쯤 다니다 보면 일과 회사가 익숙해지고 그만큼 열정은 어디론가 사라져 버린다. 일을 잘해서 인정받아야겠다는 의욕도 사라지고 어떻게 해야 별 문제없이 이 회사에서 오랫동안 편하게 버틸 수 있을지 꾀만 는 다. 아침이면 출근하는 게 끔찍하게 싫어서 몸이 무거운데 일을 그만둘 수도 없는 자신의 신세가 답답해서 이유없이 화가 나기 도 한다.

그런데 이제는 직장 10년차까지 가지 않아도 무력감과 우울을 느끼는 것 같다. 〈쉘 위 댄스〉가 90년대 후반에 개봉했으니 벌써 20년 전 영화인 셈인데, 그만큼 세상이 빠르게 변하고 있고 직장 인의 수명도 짧아지기 때문일까? 아직 한창 일을 할 시기로 보 이는 대리급, 과장급 제자들이 일에 대한 의욕을 잃고 회사를 그 만두고 싶다거나 특별한 목표도 즐거움도 없다며 고민하는 것을 보면 조금 걱정스럽다.

이런 현상이 벌어지는 것은 회사 생활과 업무에 익숙해졌고 그만큼 습관적으로, 피상적으로 일을 처리하기 때문이다. 나름 대로 노하우와 경험이 쌓였으니 하던 대로 하면 일은 그럭저럭 해낼 수 있고 결과도 나쁘지 않지만 그 과정에서 일에 대한 흥미 는 떨어질 수밖에 없다. 그러다 보면 "매너리즘에 빠졌다", "슬 럼프에 빠진 것 같다"라는 말이 저절로 나온다.

이런 사람들에게 대개 새로운 취미를 찾아보라거나 충분히 쉬면서 에너지를 충전하라는 조언은 근본적인 해결책이 될 수 없다. 나는 이 위기를 어떻게 넘기느냐에 따라 인생이 달라질 수 있다고 생각한다. 그래서 늘 '정면 돌파'를 강조한다. 슬럼프든, 매너리즘이든 문제가 생긴 바로 그 시점에 문제를 해결하기 위해 최선을 다해 보라고 말이다. 만약 이 시기에 "업무에 지장이 없을 만큼만, 문제가 생기지 않을 만큼만 일하면 지금의 삶을 유지할 수 있다"는 안일한 생각에 사로잡히면 지금 자리를 지키기는커녕 점차 뒤로 밀려나 퇴보할 수밖에 없기 때문이다. '현상태를 유지한다'는 것은 유지하는 게 아니라 뒤처지는 것이다. 하던 대로만 해도 중간은 갈 거라는 생각은 크나큰 착각이다.

오히려 누구나 겪는 이 위기를 성장의 발판으로 삼아야 한다. 지금 이 정도에서 적당히 안주하고 싶을 때, 이만큼만 유지해도 문제 없겠다는 생각이 들 때 어떻게 행동하느냐에 따라 앞으로의 인생이 퇴보할 것인지 아니면 한 단계 도약하여 성장할 것인지가 결정된다.

안주하지 않고 최고가 된 사람들

플라시도 도밍고는 오페라 역사상 가장 위대한 가수로 손꼽히는 성악가다. 그는 1991년 베르디 오페라 〈오셀로〉를 공연했을 당시에 무려 80분이라는 어마어마한 시간동안 관객의 박수를 받은 위대한 기록을 세웠으며, 모차르트, 베르디, 바그너 등 영역에 제한을 두지 않고 끊임없이 도전해 111가지 역을 맡았고 100개가 넘는 오페라를 녹음했다.

어떤 기자가 어떻게 그 많은 역의 노래를 외우냐고 묻자 그는 이렇게 답했다. "너무 많은 역할과 나라를 넘나들며 공연해야 해서 늘 공부를 하고 있다. 주로 비행기 안에서 악보를 읽으며 공부하고 휴가 중일 때도 악보를 펼쳐 놓는다. 공연장에서도 공연이 시작하기 직전까지 문제점을 고쳐 더 좋은 노래를 하려고 한다."

그의 이 말은 어째서 그가 70세를 넘긴 지금까지도 현존하는 최고의 성악가로 인정받을 수밖에 없는지를 단적으로 보여 준다. 그는 평생을 노래했고 이미 위대한 기록을 수없이 썼음에도 절대 거기에 안주하지 않는다. 그에게 노래를 부르는 일은 어쩌면 숨을 쉬고 밥을 먹는 것보다 더 익숙하고 쉬운 일일지도 모른다. 그러나 조금 더 잘 부를 수 없을까, 감정을 더 실어서 부를 수 없을까 생각하며 악보를 들여다보고 또 들여다보면서 공부했고, 새로운 방법을 시도함으로써 매번 관객들에게 감동을 주고 있다.

어느 분야에서든 최고의 자리에 오른 사람들은 자신의 재능이나 위치에 만족하지 않고 끊임없이 공부했다는 공통점을 가지고 있다. 인상파 화가 고흐나 모네, 고갱의 이름을 들어본 적이 있을 것이다. 이들은 19세기 후반 인상파를 대표하는 화가들로 사진처럼 사물을 그대로 묘사하던 기존의 방식에서 완전히 탈피하여 빛과 공기, 바람의 변화에 따라 느껴지는 주관적인 인상을 그림으로 구현했다고 평가받고 있다.

그런데 흥미롭게도 이들의 그림 중에 에도 시대의 풍경과 서민들의 생활상을 그린 풍속화 우키요에의 영향을 받은 작품들이 굉장히 많다. 고흐는 우키요에를 모사한 그림을 그렸고, 모네는 기모노를 입은 아내를 작품에 등장시키는 등 우키요에에서 볼 수 있는 원근이나 평면적인 배치, 단순한 선과 원색적인 색을 적극적으로 모방하고, 자신의 것으로 새롭게 소화했다. 이들에게 일본의 그림은 지금까지 전혀 보지 못했던 새롭고 낯선 것들이었다. 그러나 그들은 그것을 배척하거나 무시하지 않고 배울 점을 찾아 적극적으로 자신의 그림에 끌어들였다.

수많은 화가들이 그려 온 방식을 답습했다면, 내가 그림을 그리던 방식대로 그림을 그렸다면 그들은 보통의 많은 화가들과 비슷한 그림을 그렸을 것이다. 그러나 그들은 남들과 다른 방식으로 연못에 햇빛이 반짝이는 모습이 내 눈에는 어떻게 보이는지를 연구해 그림을 그렸고, 내 방식과는 완전히 다른 낯선 동양의 화풍을 어떻게 내 것으로 소화할 수 있을지 시도하는 것을 망설이지 않았다. 누구나 하는 방식, 내가 평소 사용하는 방식에 만족하지 않고 더 좋은 그림을 그리려는 자세를 가지고 있었기에 그들이 결국 위대한 화가가 될 수 있었던 것은 아닐까.

그런데 우리는 어떤가. "몇 년 일해 보니까 일이라는 게 다 비슷비슷하던데? 프로젝트는 매번 다르지만 결국은 같은 일을 반복하는 거야"라는 말을 아주 쉽게 한다. 그러나 매일 똑같은 일을 반복하는 것처럼 보여도 자세히 들여다보면 매번 새로운 종류의 과제가 있다. 그 과제를 어떻게 해결할 것인지 궁리하는 동안 이전의 경험에서는 알지 못했던 것들을 배울 수 있다.

예를 들어 나는 매 학기마다 독서 세미나를 진행한다. 내가 독서 목록과 수업 계획표를 바꾸지 않으면 내 수업은 매번 똑같을 것이다. 그렇지만 독서 목록이 바뀌든 바뀌지 않든, 수업에서 내가 해결해야 하는 문제들은 매 학기마다 완전히 다르다. 유난히 학생들이 소극적이라 진행이 매끄럽지 않은 경우도 있고, 몇몇 학생들이 너무 나서서 주도를 하는 바람에 세미나의 균형이 깨지는 경우도 있다. 예상치 못한 질문으로 인해 세미나의 방향이 완전히 바뀌어 버려 전혀 준비가 되지 않은 주제를 이야기하게 되는 경우도 있다. 즉 수업에 따라 소극적인 학생들을 위한 교수법을 좀 더 연구해야 할 때도 있고, 순발력을 발휘해 문제를 해결하는 능력을 키워야 할 때도 있다는 말이다. 겉으로 보기에는 항상 같은 수업을 하고 있어도, 내가 일을 통해 배울 수 있는 것은 천차만별이다.

세상에 똑같이 반복되는 것은 없다. 만약 반복된다고 해도 우리는 얼마든지 정형화된 일상에 새로운 변화를 불어넣을 수 있다. 어떤 상황에서든 배울 것은 반드시 있으며 그것을 찾아내는 것은 전적으로 본인에게 달렸다.

성장하고 싶다면 지금 공부를 시작하라

역사학을 가르치는 교수이자 학생을 어떻게 가르칠 것인지를 연구해온 켄 베인 교수는 『최고의 공부』라는 책에서 세계적 리더들과 교수들을 인터뷰해 창조적인 리더들은 어떻게 공부하는지를 밝혀냈다. 여기에 등장하는 폴 베이커 교수는 이런 말을 한다.

"내가 아는 사람들 중 많은 이가 고등학교 때 죽은 거나 마찬가지입니다. 그때와 똑같은 생각, 똑같은 가치관, 똑같은 답, 똑같은 감성과 시각을 그대로 가지고 있으니까요. 사실상 전혀 변하지 않았죠."

나는 이 부분을 읽는 순간 마음이 뜨끔했다. 내가 고등학교 때 이후로 얼마나 바뀌었는지를 곰곰이 따져 보니 그렇게 많이 변하지 않았을 것 같다는 생각이 들었기 때문이었다. 나는 물론이고 많은 사람들이 고등학교를 졸업한 이후에도 계속 공부를 하며, 성장해야 한다는 압박감에 시달리지만 실제로 고등학교 때와 질적으로 획기적인 변화를 이루었다고 자신 있게 말할 수 있는 사람은 별로 없을 것이다. 그런데 하물며 지금 이 순간에 안주하겠다고 생각하는 것은 얼마나 안이하고 위험한 생각인가. 고등학교 때의 가치관, 시각을 가지고 평생을 살겠다는 의미이니 말이다.

반복되는 일상이 주는 달콤함과 편안함이 커질수록 오히려 긴장하길 바란다. 자연이 계절에 따라 모습을 바꾸듯, 나이가 들고 사회가 발전하는 속도에 따라 우리의 모습과 생각도 달라져야 한다. 안주하고 싶어질수록 과감하게 떨쳐 일어나 성장을 위한 공부를 시작해야 한다. 내가 하는 일에 든든한 버팀목이 되어 줄 학문을 찾아 깊게 공부를 하거나, 경영을 전공했다면 과학이나 문학을 공부하는 등 전혀 새로운 분야에 도전해 보자. 굳이 일과 관련짓지 않고 어느 분야든 원하는 공부를 하는 것도 좋다.

일에 도움이 되는 공부라면 일을 더 잘하기 위한 창의적인 아이디어를 줄 것이고, 전혀 새로운 분야의 공부라면 내가 미처 보지 못했던 것을 보게 하는 눈을 갖게 할 것이며, 하다못해 클래식을 듣거나 고전을 읽는다면 새로운 것을 배운다는 기쁨과 열정을 되찾아 줄 것이다. 〈쉘 위 댄스〉의 주인공 수기야마가 춤을 통해 인생의 기쁨을 다시 찾은 것처럼, 그게 어떤 종류의 공부가 됐든 일과 삶의 성장을 위한 동력이 되는 것만은 분명하다.

절대 지금에 안주하지 마라. 그러면 당신의 미래도 달라질 것이다.

세상에 쓸모없는 공부,
써먹지 못하는 공부는 없다

다치바나 다카시의 『도쿄대생은 바보가 되었는가』를 보면 일본 어느 대학에서 있었던 기막힌 일을 소개하고 있다. 교수가 나폴레옹에 대한 이야기를 하고 있는데, 학생과 말이 통하지 않더란다. 혹시나 하는 마음에 나폴레옹에 대해 좀 더 자세히 질문을 던져 보았더니 놀랍게도 그 학생은 나폴레옹을 술 이름으로 알고 있었다. 나는 당시 이 에피소드를 읽고 큰 충격을 받았다. 역사 공부를 제대로 하지 않은 어린 학생도 아니고 무려 대학생이 나폴레옹이라는 인물을 단지 술 이름으로만 알고 있었다는 사실이 믿어지지 않았다.

다치바나 다카시는 이런 현상이 고등학교에서 이과와 문과로 나뉘면서 입시에 필요하지 않은 과목은 제대로 가르치지 않기 때문이라고 말한다. 학생들이야 조금이라도 과목을 줄여서 편히 공부하고 싶어 한다고 쳐도 학교까지 나서서 입시에 필요 없는 과목은 아예 가르치지 않게 된 것이다. 내가 정한 방향의 공부만 한다는 것이 당장은 효율적인 것처럼 보일지 몰라도 오히려 사람의 시각을 편협하게 만들고 궁극적으로는 균형을 잃은 성장을 하게 만든다. 그런데 심지어 학교에서도 이런 사실을 외면한 채 학생들을 가르치고 있으니 참으로 안타까운 일이 아닐 수 없다.

만약 이렇게 공부를 한 학생이 그대로 성인이 되면 어떻게 될까? 본인 스스로 여러 분야의 공부를 접해 보고 골고루 교양을 쌓았다면 다행이지만 '내 전공 외에는 아무것도 모르는' 상태로 사회에 나간다면 겉으로 보기에는 괜찮아 보일지 몰라도 금세 한계에 부딪힐 수밖에 없다. 경제가 내 전문이라고 생각하는 사람이 중요한 비즈니스 미팅에 갔다고 치자. 갑자기 셰익스피어가 화제에 올랐을 때, 아는 것이 아무것도 없어 입만 다물고 있는 상황이 벌어질 수도 있다.

그나마 사회 초년생 시기라면 자신의 전문 분야를 실제 업무와 능숙하게 접목시키는 것도 어려울 때이니 문제가 없을지 모른다. 그러나 점차 연차가 쌓이고 승진을 해서 더욱 복잡한 일을 책임져야 할 때가 되면 이야기가 달라진다. 자기의 분야는 물론이고 관련 업계, 사회의 상황 등 다양한 환경을 종합적으로 읽어내고 다른 업계의 전문가들과 영역을 넘나들며 협업을 해야 하는데 그것을 감당할 능력이 없어 곤란한 상황에 맞닥뜨리게 될 수 있다.

우물 안 전문가가 되지 마라

더 큰 문제는 너도나도 전문가가 되는 것이 경쟁 사회에서 살아남을 수 있는 비결이라고 생각한다는 것이다. 물론 전문가는 한 분야를 깊게 공부한 만큼 그 분야를 잘 모르는 사람과 비교하면 경쟁에서 우위를 차지할 수도 있다. 그러나 한 분야에만 능통하다는 것은 거꾸로 말하면 그 외의 분야에는 매우 취약하다는 것을 뜻하기도 한다. 자칫하면 '전문가바보(fachidiot)'가 되어 편협한 생각만을 하게 될 수도 있다. 여기서 전문가바보라는 말은 자기의 전문 영역에만 빠져 보편적으로 이해하고 분석하는 능력을 갖추지 못한 사람을 이르는 말이다.

한마디로 전문가가 되려다 '우물 안의 개구리'가 될 수 있다는 것이다. 자신이 살고 있는 우물에 대해서는 잘 알고 있을지 몰라도 우물 밖 세상에 대해서는 아는 바가 없다. 그런데 그 개구리가 세상 전체에 대해 하는 말을 믿을 수 있겠는가? 자신의 영역에서는 그 누구보다 방대한 지식을 갖췄을지 몰라도 결국 드넓은 지식의 영역에서 보면 그는 아주 작은 부분의 지식을 가진 사람에 불과하다.

자기만의 틀에 갇혀 있으면 세상을 이해하는 폭이 너무 좁아진다. 전방위적으로 살펴보고 종합적으로 이해를 해야 하는데 그것이 불가능해지는 것이다. 현대사회는 너무도 복잡해지는 한편 분절화되었기 때문에 전체를 읽어 내는 눈이 없다면 세상을 자신의 관점으로만 바라보고 판단해 버리는 실수를 저지를 수 있다. 세계관이 하나인 사람은 세상을 하나의 방향으로만 이해한다. 그런데 잘못하면 내 생각에서 벗어나거나 조금이라도 다른 것들을 전혀 포용하지 못하는 폭력적인 성향을 갖게 된다. 극단적 우익이나 좌익 성향을 가진 사람들이 주변 사람들을 불편하게 만드는 것은 이 때문이다. 자신의 우물 안에만 계속 갇혀 있으면 살아남는 것이 아니라 우물 안에서 외롭게 죽게 될 수도 있다.

자신의 내면에 다양한 나무를 심어라

나는 대학 시절 '비교행동학'이라는 학문을 처음 접했다. 이 학문은 동물이 본능적으로 어떻게 행동하는지 행동 양식을 연구해서 인간을 포함한 자연 세계를 이해하려는 학문이다. 내가 한동안 이 학문에 푹 빠져서 비교행동학 책만 읽게 된 것은 오스트리아의 동물학자인 콘라트 로렌츠의 『공격 행위에 관하여』라는 책 덕분이다.

그의 연구에 따르면 동물은 싸움이 붙어도 어느 정도 승부가 결정되고 상대가 배를 보이며 항복하면 그 시점에서 공격을 멈춘다. 그런데 인간은 싸움에서 승리를 거둔 후에도 공격을 계속하지 않는가. 나는 이 책을 읽으며 '동물의 본성은 이렇구나. 이런 세계가 있구나'라는 지식을 얻기도 했지만 동시에 '그에 비해 우리 인간은 무의미한 전쟁을 얼마나 많이 벌여 왔는가' 하는 생각이 들기도 했다. 그가 이 책을 냈을 당시에 주목을 받았던 것 역시 오랜 전쟁으로 지쳐 있던 사람들에게 인간의 공격 충동과 전쟁에 대해 반성할 수 있는 계기를 던져 주었기 때문이었다.

나는 이 책을 통해 새로운 세계를 '만난다'는 것이 어떤 것인지를 경험했고, 그 만남으로 세상을 이해하는 법을 하나 더 배웠다. 동물을 통해 나와 인간, 우리 사회에 대해 새롭게 인식하고 반성할 수 있다는 것은 비교행동학 공부가 아니었다면 절대 알 수 없었을 것이다.

고등학교에서 물리 시간에 뉴턴이 발견한 운동 법칙을 처음 배웠을 때를 떠올려 보자. 운동 법칙을 배움으로써 우리는 주변의 세계가 물리적으로 어떻게 작동하는지를 새롭게 이해할 수 있었다. 그 원리를 인식한 사람과 그렇지 못한 사람이 세상을 이해하는 정도는 완전히 다를 수밖에 없을 것이다. 나는 이것이 공부를 하는 사람이 생각의 틀을 여러 개 만들면서 성장하는 방식이라고 생각한다.

　공부는 자신의 내면에 나무를 한 그루 심는 것과 같다. 어떤 학자가 쓴 책을 읽고 그 안에 담긴 지식과 세계관을 공부하면, 나의 내면에는 그 학자의 나무가 옮겨 심어진다. 적극적으로 다양한 공부를 하는 사람이라면 나무의 종류도 각양각색일 것이고 숲의 면적도 넓을 것이다. 반대로 공부를 게을리 했다면 숲이라고 말하기 어려울 정도로 내면이 황량할 것이다.

　'다양한 나무가 자란 숲'을 키운 사람은 그 안에 괴테라는 나무도 가지를 뻗고 있고 도스토옙스키 나무, 플라톤 나무도 자라고 있을 것이다. 마르크스주의와 기독교가 함께 살 수도 있다. 물론 전공이나 취향에 따라 숲의 기반이 되는 주종은 있겠지만 그 외에 다양한 종류의 나무들이 많이 자라 내면에 건강하고 생명력 넘치는 하나의 생태계가 형성되어 있을 것이다.

반면에 똑같이 내면에 나무를 많이 옮겨 심은 사람이라고 해도 '전문가바보'가 되는 오류에 빠진 사람은 같은 종류의 나무만 잔뜩 있어 숲은 무성할지언정 스스로 다양한 생명을 키워 내고 발전하는 생태계를 만들지는 못할 것이다. 그러나 다양한 종류의 나무가 살지 않는다면 예상치 못한 자연재해가 왔을 때 숲이 한 번에 다 죽어 버릴 수 있다. 또한 자신의 나무와 조금이라도 다르면, 이상한 것 혹은 틀린 것이라고 생각하고 타협하지 않는 외로운 고집쟁이가 되고 말 것이다.

내면에 다양한 나무가 자란 숲을 키운 사람은 자신과 다른 생각도 진지하게 듣고 '그런 사고방식도 있구나. 지금까지는 이렇게 생각했는데 나와는 다른 생각도 있구나' 하고 자신을 더욱 확대하고 심화시키기 위한 공부로 받아들인다. 어떤 문제에 부딪히면 '니체였다면 이렇게 생각하지 않을까'라는 식으로 자기 내면 안에 있는 생각의 틀을 여러 개 꺼내 보면서 이리저리 비교해 보고 종합적으로 판단하기 위해 애쓴다. 한 분야의 전문가이면서도 이런 경지에까지 이를 수 있다면 누구라도 그 사람과 함께 일하고 싶지 않겠는가?

처음 대학에 온 신입생들에게 교과 과정에 대해 아쉬운 점이 무엇이냐고 물어 보면 가장 많이 나오는 대답이 바로 '필수로 수 강해야 하는 교양과목이 너무 많다'이다. 상경대학에 들어갔는 데 왜 문과대학이나 자연대학의 교양과목을 들어야 하는지 모르 겠다며 1학년 때부터 바로 전공을 듣는 것이 시간 낭비도 없고 훨씬 이득 아니냐는 논리다.

그런데 재미있게도 대학을 졸업하고 나서 "학부 때 들었던 교 양 수업에서 배운 것들이 일하는 데 쓸모가 많다는 것을 이제야 알았다"라거나 "그나마 교양 수업을 들어서 전공 외 다른 분야에 대해 관심이 조금 생겼다"라는 말을 하는 제자들을 꽤 많이 만난 다. 공부를 했던 당시에는 당장 써먹을 곳도 없는 공부라는 생각 을 했겠지만 몇 년의 시간이 흐른 뒤에야 그 공부가 내면에 단단 하게 뿌리내렸음을 깨닫게 된 것이다. 뒤늦게 그 사실을 깨달은 제자들은 내가 나서서 권하지 않아도 스스로 공부를 시작한다.

만약 당신 내면의 숲에 나무가 없어서 황량하다면, 혹은 나무 종류가 너무 비슷하다면 지금 하고 있는 일과 전혀 상관없는 공 부를 시작해 보길 바란다. 다양한 종류의 씨앗을 많이 심을수록 좋다. 그렇게 많이 배우고 많이 읽고 많이 생각하면 어느 순간 자신도 모르게 숲이 넓어져 있다는 것을 깨닫게 될 것이다. 그것 은 누구도 흉내 낼 수 없는 당신 자신만의 숲이다.

내일 죽는다 해도
후회 없는 인생을 사는 법

몇 년 전, 나는 큰 병을 앓은 적이 있다. 젊은이라고 하기에는 어려운 나이지만 그래도 아직 젊고 에너지가 넘치니 앞으로 살아갈 인생도 꽤 많이 남았을 거라고 생각했는데, 어느 날 갑자기 '내가 죽을 수 있다'라는 충격적인 사실을 경험한 것이다. TV나 영화, 책 등에서 죽음의 위기를 넘겼던 사람들이 그 경험으로 인해 자신의 삶이 얼마나, 어떻게 달라졌는지를 이야기하는 것을 본 적이 있을 것이다. 나는 솔직히 그런 내용을 볼 때마다 '저런 경험을 하고 나면 정말 삶을 대하는 자세가 달라질까?'라는 의심에 찬 눈초리를 거둘 수 없었다. 그런데 아이러니하게도 내가 그런 경험을 겪고 나니 인생을 대하는 자세가 확연히 달라졌다.

예전에는 인생이란 "준비, 땅!" 하면 모든 사람이 일제히 뛰기 시작해서 정해진 거리를 뛰는 마라톤 같은 것이라고 생각했다. 남들보다 더 빨리 달려서 결승점을 통과해야 한다고 말이다. 그런데 병을 앓고 난 뒤 죽음이라는 예상치 못한 변수가 마라톤에 존재하고 있다는 사실을 새삼 깨달았다. 같은 시간에 태어난 쌍둥이도 죽는 순간은 각각 다르다. 즉, 처음부터 모든 사람이 반드시 뛰어야 할 정해진 거리나 목표 같은 것은 없는 것이다. 죽기 직전까지 자기만의 인생 목표를 정해서 최선을 다하면 되는 거였다. 그리고 정말 중요한 것은 결승점을 1등으로 통과하는 것이 아니라, 나만의 결승점을 무엇으로 할 것인지를 정하고 거기를 향해 열심히 달려가는 것이었다.

그럼 나만의 결승점을 정하기 위해서는 어떻게 해야 할까? 거기에서부터 시작된 내 고민은 '나는 언제 행복한가? 내가 진짜 원하는 행복은 무엇인가? 나는 어떤 인생을 살고 싶은가?'라는 질문으로 이어졌다. 그러자 '성공해야 한다, 실패하면 안 된다'라는 생각은 어느새 사라지고, 무엇을 하든 그 과정 동안 성실하게 최선을 다했고 그래서 후회가 없다면 그것으로 충분하다는 생각을 하게 되었다. 세상이 인정하는 성공의 기준에 못 미치더라도 내가 만족하면 그만이라는 여유도 생겼다.

그래서 생긴 변화 중 하나가 회의 스트레스가 없어진 것이다. 나의 경우 항상 창의적인 일을 하고 싶다는 생각을 하다 보니 여러 사람과 회의를 할 때 스트레스를 굉장히 많이 받았다. 신선한 의견이나 한발 더 나아간 대안을 제시하기는커녕 똑같은 말만 되풀이하고 적당히 시간을 때우는 태도를 보이는 사람들 때문에 괴로운 날이 많았다. 회의를 연달아 해야 하는 날이면 회의가 내 피를 말리는 인생의 흡혈귀처럼 느껴지기도 했다. 그런데 인생관이 바뀐 이후로 무언가에 스트레스를 받고 초조하게 생각하는 것 자체가 어리석다는 생각이 들었다. 효율성을 따질 필요도 없고, 회의가 잘 풀릴 때도 그렇지 않을 때도 있다는 생각을 갖게 되자 거짓말처럼 마음이 편해졌다.

후회 없는 인생을 살고 싶다면

몇 년 전, 일본에서는 『죽을 때 후회하는 스물다섯 가지』라는 책이 화제에 올랐다. 이 책은 말기 암 환자들의 고통을 줄여 주는 호스피스 전문의인 오츠 슈이치가 쓴 것으로, 그가 죽음을 눈앞에 둔 수많은 환자들을 만났던 경험을 토대로 사람들이 죽기 직전 어떤 후회를 하는지, 그래서 우리는 어떤 삶을 살아야 할지를 알려 준다. 이 책이 많은 관심을 받았던 것은 그만큼 사람들이 후회 없는 삶을 살고 싶다는 열망을 가지고 있기 때문일 것이다. 책에 담긴 내용은 '사랑하는 사람에게 고맙다는 말을 많이 했더라면', '진짜 하고 싶은 일을 했더라면' 등 너무 평범하고 당연한 것들로, 이미 우리가 잘 알고 있는 '인생을 충실히 사는 법'이다.

그런데도 우리는 그렇게 살지 못하고 있다. 왜 그럴까? 그것은 바로 '내가 지금 하고 있는 일이 나에게 어떤 의미인가?', '돈을 많이 벌면 행복한가? 돈 외에 나를 행복하게 하는 것은 무엇인가?', '나는 어떤 일을 할 때 진정으로 기쁜가?'와 같은 인생과 행복에 대한 근본적인 질문을 던져 본 적이 없기 때문이다.

매일 바쁘게 살다 보면 일상의 리듬에 취해 자기 자신을 돌아보기가 쉽지 않다. 나처럼 큰 병을 앓거나 죽음 앞에 서면 그때서야 익숙했던 인생과 일상이 갑자기 낯설게 보인다. 낯설게 보이면 인생의 의미를 묻는 질문을 던질 수 있고 그 질문을 통해 자신의 삶을 돌아볼 수 있다. 그런데 이 '낯설게 보기'를 가능하게 하는 인생의 큰 사건들은 자주 일어나지 않는다. 반복되는 일상에 충격을 주는 일이 일어나지 않는 한 '낯설게 보기'가 아무 때나 쉽게 되지 않는다는 것이다. 그래서 내가 진정으로 원하는 삶은 무엇인지, 후회 없이 살고 싶다면 어떻게 해야 할지를 끊임없이 묻는다는 게 쉽지 않다. 대부분의 사람들이 매일 자신에게 주어진 시간을 나도 모르게 허투루 써 버리고 엉뚱한 목표를 향해 달려가다가 나중에서야 진정으로 내가 원했던 삶을 살지 못했다며 후회를 하는 것은 이 때문이다.

그렇다면 우리는 어떻게 해야 우리의 삶을 낯설게 볼 수 있을까? 어떻게 해야 스스로 내 인생의 의미를 묻고 후회 없는 삶을 살 수 있을까?

나는 이 질문에 대한 대답이 바로 '공부'라고 생각한다. 공부는 '당연한 것에 질문을 던져 낯설게 보는 것'이다. 눈에 보이는 현상을 그대로 받아들이는 것이 아니라 지금 내가 보는 시각에 문제는 없는지, 나는 왜 그렇게 생각했는지, 이면에 숨겨져 있는 것은 없는지 등을 따져 보는 것이 공부의 본질이다. 이런 자세는 어떤 공부를 하든, 어떤 일을 하든 꼭 필요한 것은 물론이고 우리 인생을 충실히 사는 데도 지대한 영향을 미친다. 즉 매일 똑같이 반복되는 일상 속에 '나는 왜 그렇게 생각하고 행동했는가?'와 같은 질문을 던져 낯설게 볼 수 있도록 도와주는 것이다.

예를 들어 당신이 철학을 공부한다면 이런 질문을 던지게 될 것이다.

– 나는 누구인가? 왜 살아야 하는가?

–사랑은 영원한가?

–철저히 즐거움만 쫓는 것은 나쁜 것일까?

이런 질문들을 통해 일상 속에서 무심코 넘겼던 삶과 생명, 사랑, 쾌락에 대해 아주 잠깐이라도 생각해 볼 수 있다.

만약 당신이 누군가와 사랑에 빠졌다고 치자. 대부분의 사람들이 그렇듯이 당신 역시 자연스럽게 사랑은 영원한 것이라는 생각을 하고, 사랑하니까 상대방이 나를 다 이해해 주고 내가 원하는 것을 해 줄 것이라는 기대를 갖게 될 것이다. 나는 왜 그런 생각을 갖게 되었는지 그게 정말 사랑의 의미인지 따져 보지도 않고 부지불식간에 그런 생각을 갖게 된다.

그러나 철학을 공부하며 진정한 사랑의 의미에 대해 질문을 던지는 순간 상황이 달라진다. '나는 왜 사랑하는 마음이 변할 수 있다는 것을 깨닫지 못했을까? 혹시 상대방에게 사랑을 강요한 것은 아닐까?'라는 자기반성이 시작되는 것이다. 이 자기반성은 '사랑하는 마음이 언젠가 변할 수도 있으며, 상대가 갑자기 나를 떠날 수 있다. 그러니 지금 사랑하는 순간에 상대에게 최선을 다하자. 그의 사랑을 당연하게 여기지 말고 고마워하자. 지금 더 열심히 사랑하자'라는 결론으로 이어질 수 있다. 이 결론을 당신이 지금 당장 행동으로 옮기기만 한다면 죽음을 앞에 둔 사람들이 가장 큰 후회로 꼽았던 '사랑하는 사람에게 고맙다는 말을 많이 했더라면'을 실천한 셈이 된다. 많은 사람들이 막연히 꿈꾸는 '현재에 충실함으로써 행복해지는 삶'을 살 수 있게 되는 것이다.

　궁극적으로 공부는 사람에게 '어떻게 살아야 하는가'라는 질문에 답을 줄 수 있는 가장 훌륭한 도구이다. 다만 우리가 그동안 취업을 잘하기 위해, 성공하기 위해, 똑똑해지기 위한 공부를 하면서 공부를 삶을 바꾸는 '수단'으로만 여기느라 잘 몰랐을 뿐이다. 그러나 공부하는 자세로 일상에 질문을 던지고, 공부를 통해 얻은 새로운 자극을 내 삶에 녹이는 '공부하는 삶'을 살게 되면 자연스럽게 '나는 어떻게 살 것인가'라는 질문을 던지고 그 답을 찾아가는 자신을 발견하게 될 것이다. 그러면 인생의 방향도 변화한다. 3장에 다시 등장하겠지만 인류의 스승이라고 불렸던 공자와 소크라테스가 추구한 공부도 바로 그런 것이었다.

공부로 인생의 내공을 키워라

얼마 전, 대학을 졸업하고 대기업에 취업한 제자가 찾아왔다. 요즘 어떻게 지내고 있느냐는 내 질문에 제자는 잠시 머뭇거리더니 어렵게 말문을 열었다.

"취업했다고 좋아했던 게 엊그제 같은데 벌써 2년차예요. 처음에는 적응하느라 정신없었는데 이제 조금 회사에 다닐 만해졌습니다. 일을 어떻게 하면 되겠다는 감도 잡히고 회사 돌아가는 것도 조금 보이고요. 그런데 정신없이 일할 때는 괜찮은데, 퇴근하고 나거나 주말이 되면 허탈함이 밀려옵니다. 자꾸 인생이 소모되는 것 같고 내가 이렇게 살려고 그렇게 열심히 취업 준비를 했나 하는 생각도 들고요. 그렇다고 지금 직장이 마음에 안 드는 것도 아니에요. 그냥 갑자기 인생의 목표가 사라진 것 같은 느낌입니다. 이러면 안 되지 싶어서 영어 공부를 시작했는데, 지금 꼭 필요한 게 아니어서 그런지 공부도 잘 안 되네요."

이런 고민을 하는 것은 나를 찾아왔던 제자만의 일이 아니다. 내가 기업 강연이나 TV 강연을 통해 만난 젊은이들, 심지어 내 책을 재미있게 읽었다고 메일을 보내는 독자들도 비슷한 고민을 털어놓았다. 분명 90년대까지만 해도 이런 고민을 하는 젊은이가 많지 않았던 것 같은데 왜 최근 들어서 부쩍 이런 고민을 많이 하는지 처음에는 이해가 잘 가지 않았다.

'스펙'에 목숨 거는 젊은이들

그런데 요즘 젊은이들을 잘 관찰해 보니 몇 가지 공통점이 있었다. 첫 번째는 갈수록 과열되는 경쟁 속에서 오로지 취업을 위해 그 누구보다 열심히 공부하고, 취업 준비를 했던 학생들이라는 것이다. 그들은 대학 신입생 때부터 토익을 공부하고 학교 성적을 관리했으며, 방학 때면 자격증을 따기 위해 학원을 다니며 공부에 열중했다. 그들은 취업과 성공이라는 목표 하나만을 향해 달리던 사람들이었다. 당장 눈앞의 시험과 취업만 보며 살았기 때문에 앞으로 인생을 어떻게 살아야겠다는 고민을 할 틈이 없었고, 오히려 취업만 해서 돈을 벌면 그 이후에는 큰 고민 없이 행복하게 살 수 있을 것이라고 생각하며 살았다. 공부를 하는 동안에는 다른 데 눈을 돌리지도 않았고 그러느라 어떤 결핍이나 문제를 느끼지도 못했던 것이다.

두 번째로 그들은 자신이 노력한 만큼 취업에 성공해 좋은 결과를 거뒀고 자신이 제대로 살아왔다는 뿌듯함을 경험했다. 그런데 그 뿌듯함은 얼마 가지 않고, 직장 생활 2~3년 만에 갑작스러운 혼란과 허무를 느낀다. 원하는 것을 이루었으니 행복해야 하는데 그렇지가 않다. 열심히 일을 해도 퇴근길에는 이유를 알 수 없는 허무한 기분에 사로잡히기도 하고, 매일 이렇게 똑같은 날이 반복될 거라는 생각에 의욕을 잃고 슬럼프에 빠지기도 한다. 취업이라는 좁은 문은 통과했을지 몰라도 계속해서 경쟁에 이기는 것은 쉽지 않은 일이라는 것을 뼛속 깊이 실감하고 언젠가 낙오할지도 모른다는 위기감에 불안해하는 경우도 있다.

대학을 나와 높은 영어 점수와 다양한 자격증을 보유했으며 실제 사회 경험에 버금가는 전문적인 아르바이트, 인턴 경험을 가지고 있는 그 어떤 세대보다 똑똑한 젊은이들임에도 불구하고 자꾸 초조해지고 불안해진다. '내가 이 능력을 가지고 오래 살아남을 수 있을까?', '지금 나는 잘하고 있나?'라는 질문을 계속 던지게 된다는 것이다. 그렇다고 누군가에게 고민을 토로하자니 배부른 소리를 한다는 얘기를 들을 것 같아 혼자서 끙끙 앓는다.

세 번째로 이 젊은이들은 자신의 문제를 어떻게든 해결하고 싶어 다시 공부를 시작했다. 지금 이대로 있어서는 안 된다는 마음에 취직한 뒤에 멀리했던 공부를 갑자기 시작하는 것이다. 우리 주변에서 흔히 볼 수 있는 '자기계발'에 열중하는 사람들이다. 언제 유용하게 쓰일지 모르니 영어 시험 점수를 올려 두려고 공부를 하고, 업무와 관계가 있는 공부를 할 수 있는 학원을 기웃거린다. 공부의 힘을 경험해 본 사람이라 무언가를 하고 있다는 생각에 마음이 조금 놓이기도 하고, 자신의 발전을 위해 공부를 하고 있다는 자신감도 생긴다. 남들도 다 하는 공부이니 틀린 길은 아닐 테고, 이 정도를 하고 있으면 적어도 뒤처지는 일은 없을 거라고 생각하고 열심히 공부한다.

이런 현상은 샐러던트(saladent)라는 신조어를 만들어 내기에 이르렀다. 이 말은 직장인을 뜻하는 영어 'salary man'과 '학생'을 뜻하는 'student'가 합해져 만들어진 것으로, '공부하는 직장인'이라는 뜻이다. 경쟁 사회에서 낙오되지 않기 위해서는 끊임없이 공부를 해 지식을 쌓아야 하고 능력을 계발해야 하는 차디

찬 현실을 반영한 말이라고 할 수 있다.

삶의 호흡을 깊게 하는 공부를 하자

공부를 한다는 것은 분명 긍정적인 것임이 틀림없다. 더구나 스스로 다시 공부를 해야겠다는 필요성을 느끼고 공부에 뛰어들었으니 그 의지 자체는 긍정적이다. 그런데 문제는 그들이 해 왔던 공부, 지금 하고 있는 공부는 살아남기 위해, 성공하기 위해 하는 공부이며 이런 공부는 '인생의 호흡을 얕게 하는 공부'라는 것이다.

'인생의 호흡을 얕게 하는 공부'는 일정 목표를 달성하면 끝이 나는, 호흡이 짧은 공부다. 토익 900점 넘기기, 업무와 관련된 자격증 따기 등이 그런 공부에 해당한다. 통상적으로 회사에서 요구하는 '능력의 증거'이기 때문에 취업할 때는 반드시 필요한 것이며, 취직한 이후에도 필요할 때가 있다. 그런데 이 공부에는 한계가 있다. 자기의 발전을 위해 노력하고 있다는 일시적인 만족감과 가시적인 성과는 줄 수 있지만 궁극적으로 생각의 힘을 키워 주고 세상을 꿰뚫어 보는 나만의 안목을 갖게 하는 데는 도움이 되지 않는다. 인생을 살아가는 데 진정으로 도움이 되는 깊은 호흡이 아니라는 것이다.

그래서 자기계발에 뛰어든 많은 젊은이들이 해결되지 않는 갈증을 느낀다. 내가 공부를 하고 있으니 미래에 대한 불안도, 일상이 아무 의미가 없는 것처럼 느껴지는 허무도 사라져야 하는데, 달라지는 게 별로 없다. 달라지는 것이 없다는 게 공부를 제대로 하고 있지 않다는 의미는 아닌지 초조함은 더욱 커진다. 숨이 가쁠 때일수록 깊게 들이마시고 내쉬는 깊은 호흡을 해야 하는데, 더 짧은 호흡을 하니 계속해서 허덕일 수밖에 없는 이치다.

이 악순환에서 벗어나려면 지금까지 해 왔던 공부와는 다른 '호흡이 깊어지는 공부'를 해야 한다. 호흡이 깊어지는 공부란 문학, 철학, 사학, 물리학, 수학, 음악, 미술 등 순수 학문을 공부하는 것을 의미한다. 이런 학문을 업으로 삼는 연구자나 교수 같은 사람들처럼 많은 시간을 들여 깊이 있게 공부를 하라는 게 아니다. 공부의 수준과 목표는 각자 자유롭게 정해도 되고, 단지 교양을 쌓는 정도의 공부여도 좋다.

중요한 것은 무언가를 이루기 위한 수단으로써의 공부를 하는 것이 아니라 공부 그 자체가 목적인 공부를 하는 것이다. 이 공부들은 우리의 지식 체계를 풍요롭게 해 주고 생각하는 법을 길러 주며 더 나아가서는 인생을 어떻게 살 것인지까지 고민할 수 있도록 이끌어 준다.

나에게 고민을 상담하는 젊은이들에게 호흡이 깊어지는 공부를 하라고 충고하면 처음에는 굉장히 낯설어하고 어려워한다. 자신이 하던 공부와는 방향이 완전히 다를 뿐만 아니라 지금 내 고민을 해결하는 것과는 전혀 상관이 없어 보이기 때문이다. 호흡이 짧은 공부는 성과를 빠르고 쉽게 확인할 수 있는 데 비해 호흡이 깊어지는 공부는 나아지고 있다는 느낌을 받기도 힘들다. 그러나 그 고비를 넘기면 차차 내 안에 내공이 쌓이고 목적과 의미를 찾는 것조차 어려웠던 인생을 스스로 헤쳐 나갈 힘이 붙는다는 것을 느끼게 될 것이다.

　몇 년 전 일본에서는 마이클 샌델의 『정의란 무엇인가』라는 책이 베스트셀러가 되어 화제가 된 적이 있다. 이 책은 미국의 정치철학 교수인 마이클 샌델이 하버드대학에서 정의와 평등과 같은 가치들을 실제 우리 생활에서 어떻게 실천해 나가야 하는지 학생들과 함께 토론한 내용을 담고 있다. 물론 '정의'가 사람이 살아가는 데 있어서 굉장히 중요한 가치인 것은 틀림없지만 사실 책으로는 인기가 없는 주제이다. 개인적인 불안이나 고민을 어떻게 해결할 것인지 알려 주거나 사회생활을 할 때 유용한 대화법을 담는 등 즉각적인 도움을 주는 책, 아니면 소설, 만화 등 재미가 중심이 되는 책이 베스트셀러가 되는 게 현실이지, 철학이나 역사와 같은 묵직한 주제를 다룬 책은 잘 팔리지 않는다. 그런데 왜 갑자기 정의를 다룬 책이 베스트셀러가 되었을까?

나는 이 책이 베스트셀러가 된 것은 쉽게 답을 찾을 수 없는 굉장히 어려운 주제일지라도 근원적인 질문을 던지고 철학적으로 깊이 사고하는 것에 대한 갈증과 동경이 마음 깊은 곳에 내재되어 있다는 반증이라고 생각한다. 평범한 직장인이 '정의란 무엇인가'라는 질문을 던져 볼 일은 별로 없다. 그러나 지금 당장 해결해야 할 시급한 문제가 아닐 뿐이지 도덕과 정의가 붕괴되어 가는 시대에서 인간답게, 행복하게 살아가려면 어떻게 해야 할지 답을 찾고 싶은 욕구는 사람이라면 누구나 가지고 있다. 이 책은 그 욕구를 시의적절하게 자극하고 터트렸기에 어려운 주제를 다루고 있음에도 베스트셀러가 될 수 있었던 것 아닐까.

『정의란 무엇인가』를 사서 처음부터 끝까지 꼼꼼히 읽고 완벽하게 이해한 사람은 많지 않을 것이다. 그럼에도 이런 주제에 관심을 가지고 도전해 봄으로써 근원적인 인식을 갖는 것 자체가 일상적인 생활의 틀 안에서는 얻을 수 없었던 새로운 종류의 기쁨을 준다는 사실을 경험했고, 그것만으로도 의미 있는 독서였다고 말하는 사람이 많았다. 나는 이런 것이 호흡이 깊어지는 공부의 시작이라고 생각한다.

　사람에게는 분명 호흡이 깊어지는 공부, 내 마음과 머리를 자극하고 성장하게 하는 공부에 대한 갈증이 있다. 그 갈증을 어떻게 채우느냐에 따라 인생의 방향은 분명 달라진다. 짧은 호흡에 허덕이며 숨 고를 새도 없이 인생을 살지, 깊은 호흡으로 멀리 보며 단단한 인생을 살지는 이제 당신의 선택에 달렸다.

chapter 2

공부하는
삶이
내게 가르쳐
준 것들

인생을 이끌어 줄
'나만의 책'을 찾아라

1980년대 후반, 일본에 정식으로 취업하지 않고 아르바이트 같은 비정기적인 일만 하는 '프리터'가 등장했다. 그런데 최근에는 공부도, 취직도, 아르바이트도 아예 포기한 니트족이 있다고 한다. 심각한 취업난에 시달리던 젊은이들이 아예 그런 골치 아픈 일은 피하고 싶다는 식으로 현실 도피를 하게 되는 것이다.

인생을 살다 보면 누구나 위기를 맞이한다. 각오했던 것보다 취업이 늦어지기도 하고, 예상치 못하게 회사를 그만두어야 할 상황에 마주치기도 한다. 승진을 결정지을 정도의 중요한 프로젝트가 난관에 봉착해 어디서부터 해결해야 할지 알 수 없을 정도로 문제가 커질 때도 있다. 미리 준비를 해도 풀릴까 말까 하는데 예상치 못한 위기 앞에서 어떻게 해야 할지 모르겠다는 좌절감과 미래에 대한 불안을 느끼는 것은 당연하다.

만약 현명하게 위기를 넘겼다면 다행이겠지만 위기가 오래 지속되고 불안이 지나치게 커지면 정체를 불러온다. 눈앞의 상황을 외면하고 '괜찮아, 괜찮을 거야'하고 중얼대는 것이다. 그런데 시간이 지나면 불안에 점차 익숙해져서 그럭저럭 적응해 버린다. 회사에서 갑자기 권고 퇴직을 당해 괴로워하며 '빠른 시일 내에 취업하겠다'고 결심했던 가장이 막상 자신이 돈을 벌지 않아도 그럭저럭 살 만하자 차일피일 취업을 미루면서 빈둥대게 되는 것이 바로 이런 상황이다.

이렇게 되면 불안에 짓눌리고 굳어버려 무감각해져서 현실을 외면하고 자신의 세계 안에 틀어박혀 버리게 된다. 자신도 모르게 허무함이나 아무려면 어때 하는 자포자기에 빠지게 될 확률이 높다. 하지만 불안을 유발하는 문제가 해결된 것은 아니기 때문에 반드시 어떤 시점에 오면, 수습하기 어려울 정도로 상황이 나빠졌다거나 앞으로 어떻게 해야 할지 알 수 없을 정도로 엉뚱한 방향에 와 있다는 것을 뒤늦게 깨닫고 후회하는 상황에 이르게 된다.

인생을 이끌어 줄 한 권의 책을 찾아라

내가 가르치는 제자 중에 이런 학생이 있었다. 졸업을 앞두고 취직을 하기 위해 무려 50군데나 원서를 냈다. 그중에 딱 한 군데에 합격을 해 선택의 여지도 없이 그 회사에 입사를 했다. 그런데 막상 들어가 보니 월급은 고작 15만 엔 정도(2012년 기준 대졸자 평균 초봉이 월 20만엔 정도이다─ 편집자 주)밖에 되지 않고 회사도 형편없었다. 학생 때였다면 두 번 생각할 필요도 없이 당장 그만뒀을 상황이었지만, 그는 고민했다고 한다. '50개가 넘는 회사 가운데서 나를 선택한 유일한 회사다. 여기가 아니면 영영 취업을 못할 수도 있다.' 그 두려움이 제자를 주저앉게 만들었다. 하지만 그는 용감하게도 오래 방황하지 않고 회사를 그만두었다.

나는 그에게 잘했다고 말해 주었다. 그 회사가 얼마나 형편없었는지는 판단할 수 없었지만, 스스로 만족할 수 없는 곳이었다면 그만두는 게 옳았기 때문이다. 만약 그런 상황에서 우물쭈물하다 보면 불안감만 커지고 나아지는 것은 아무것도 없다. 그러다 결국에는 '만족할 수 없는 현실에 안주해' 버리는 가장 나쁜 선택을 했을 것이다.

안타깝게도 많은 사회 초년생들이 그런 선택을 한다. 사회에 첫발을 들여놓는 과정이 너무 힘들다 보니 자신의 뜻과 달라도,

만족할 수 없어도 뭔가 개선해 나가려고 하기보다는 순응하는 쪽을 선택한다. 어떻게 이 상황을 헤쳐 나가야 할지 객관적으로 따져 보고 대책을 준비해야 하는데, 외면하고 회피하는 것이다. 그래서 대학원 공부를 하고 싶다는 말을 하거나, 덜컥 회사를 그만두고 방황하다 아예 취업 자체를 포기하기도 한다. 갑자기 아무도 만나고 싶지 않다며 방에 틀어박히는 경우도 있다. 하지만 이렇게 되면 그야말로 인생에 패배해 버리게 되고 만다.

취직의 문턱을 넘기가 그토록 험난하다는 것을 경험한 덕분에 그는 달라졌다. 원래 머리도 좋고 화술도 뛰어난 학생이었지만 그때까지는 남의 이야기를 귀 기울여 듣지 않고 무조건 자기 이야기만 늘어놓는 단점도 있었다. 그게 취업에 결정적인 걸림돌이었는지 아닌지는 아무도 모른다. 하지만 회사 50군데에서 "자네는 필요없어"라고 거절을 당하면 제아무리 둔한 사람이라도 자기 자신을 돌아보게 된다. 주변 사람의 객관적인 평가를 들어 보고 자신에게 어떤 점이 문제인지도 따져 보는 것이다. 처음 취직 활동을 시작할 때부터 첫 직장을 그만두고 다시 취업을 할 때까지 2년 정도의 시간 동안 그는 급속하게 성장했다.

한두 번 떨어지는 거라면 모르지만 거의 50군데에서 연달아 거절을 당한 경험이 있으니 그는 아마 엄청나게 두려웠을 것이다. 내 존재 자체가 거절당한 것 같은 좌절감 속에서 자신에게 필요한 것은 무엇인지, 혹은 이 역경 속에서 다음 한 발을 어떻게 내딛으면 좋을지를 치열하게 고민해야 했다. 하지만 이 위기 속에서 현실과 자기 자신을 냉정하게 볼 수 있게 되었으며 '스스로의 노력으로 인생의 위기를 뛰어넘었다'는 자신감을 갖게 되었다.

내 제자가 자신이 원하는 회사에 취직을 하게 되었다는 소식을 듣고 나를 찾아왔을 때, 나는 진심으로 축하해 주면서 한 가지 충고를 했다. 그것은 바로 인생을 이끌어 줄 한 권의 책을 찾아 공부하라는 것이었다. 그는 최선을 다해 노력했고, 운도 좋았기 때문에 오래 헤매지 않고 좋은 결과를 얻을 수 있었다. 그러나 그에게 인생을 어떻게 살아야 할지 지혜를 알려 주는 책이 단 한 권이라도 있었다면 그가 겪어야 했던 시행착오가 많이 줄어들었을 것이다.

또한 바로 눈앞의 문제를 해결하는 것에만 골몰하다 보면 훗날 인생이 원하지 않는 방향으로 와 있게 되는 경우가 생긴다. 당신에게 좋은 조건의 이직 제안이 들어왔다고 치자. 사실 그 일은 당신이 진정으로 원하는 일은 아니다. 그때 손만 내밀면 바로 잡을 수 있는 이익을 외면할 수 있을까? 남들이 부러워할 만한 이름난 기업이고, 당장 다음 달부터 월급이 오르게 되는데도? 쉽지 않은 일이다. 그러나 '좋은 조건이니까'라는 기준만으로 결정하면 나중에 분명 후회하게 된다. 인생을 살다 보면 좋은 결정이라고 생각했던 것들도 후회막급으로 여겨질 때가 참으로 많다. 흔들리지 않을 인생의 방향을 찾아야 하는 이유가 바로 여기에 있다.

누구도 함부로 할 수 없는 나만의 인생을 만들고 싶을 때 가장 쉬운 방법은 앞서 그렇게 살았던 사람들의 책을 읽고 공부하는 것이다. 특히 '고전'이라고 인정받는 책들은 큰 도움이 된다. 고전은 오랜 시간과 급변하는 환경 속에서도 살아남은 책, 인류에게 원대한 비전을 주었거나 새로운 시대를 열게 해 준 책이다. 역사의 부침 속에서도 살아남은 만큼 거기에는 지금 우리가 잊지 말아야 할 소중한 삶의 가치들이 담겨 있다. 최신 유행을 반영한 책도 물론 그 나름대로 의미가 있다. 그러나 80년은 족히될 인생을 걸기에는 아직 검증되지 않은 부분들이 많기 때문에 지금의 현실을 읽는 데에는 도움이 되겠지만 '내 인생의 책'으로 하기에는 무리가 있다.

『논어』를 인생의 이정표로 삼은 시부사와 에이치

시부사와 에이치는 에도 막부 말기인 1840년에 태어나 1931년에 죽을 때까지 메이지, 다이쇼, 쇼와 시대를 살면서 일본 근대화 과정을 몸소 겪으며 근대 자본주의의 기반을 닦은 인물이다. 그는 일찍이 서양에 가 영국, 프랑스 등 서양 자본주의 국가의 산업 제도를 직접 눈으로 살필 수 있었고 이런 경험을 토대로 관료가 되어 일본의 조세, 은행, 금융 제도를 개혁했다. 제일국립은행, 도쿄 증권거래소, 태평양시멘트, 기린맥주 등 다양한 기업을 설립하고 경영했으며 지금까지도 일본 기업의 아버지로 존경받고 있다.

미국의 경영학자 피터 드러커가 자신의 책 『경영학』에서 "기업의 목적이 부의 창출일 뿐만 아니라 사회적 기여라는 것을 일본의 시부사와 에이치에게서 배웠다"라고 격찬했던 인물이기도 하다. 그런 시부사와 에이치가 항상 곁에 두고 인생의 답을 얻고자 했던 책이 바로 『논어』였다.

시부사와 에이치가 살던 시기에는 '상공업은 매우 천한 것이며 논어와 같은 학문을 공부하는 사람이라면 상공업에 관심을 둘 필요도 없다'는 생각이 팽배했다. 그래서 공자를 공부하는 사람은 많았지만 실제 사회는 공자가 『논어』를 통해 강조한 인과 예가 기초를 이루고 있는 사회와는 거리가 멀었고, 상인들은 자신의 이익을 위해서라면 무슨 일을 해도 좋다는 생각에 빠져 있었다.

그런데 시부사와 에이치는 『논어』를 들고 나타나 이 책에 담긴 공자의 정신을 이어 받아 기업을 운영해야 한다고 주장했다. 즉 정당한 도리와 방법으로 이익을 얻었다면 그것은 천하거나 부끄러운 것이 아니며, 상업도 국가와 공익에 얼마든지 기여할 수 있다고 말한 것이다. 그리고 몸소 공자의 가르침에 따라 기업을 운영해 자신의 주장을 증명해 냈다.

당시 상인의 손에 필요한 것은 '주판'뿐이라고만 생각했던 사람들에게 반대편 손에는 『논어』를 들어 도덕과 경제가 하나가 되도록 해야 한다는 시부사와 에이치의 주장은 신선한 충격이었다. 그는 『논어와 주판』이라는 책을 써서 공자의 사상을 지침으로 삼아 인재를 발탁하고 기업을 운영하는 것이 어떤 것인지를 구체적으로 알려 주었다.

『논어와 주판』에서 시부사와 에이치가 사리사욕만 채우려 하는 기업을 비판한 대목을 보자.

작금의 기업계에 기괴한 현상이 있습니다. 바로 악덕한 중역들이 다수의 지주들이 위탁한 자산을 마치 자신의 재산인양 임의로 운용해 사리를 채운다는 것입니다. 그런 탓에 회사 내

부에 일종의 복마전이 생겨나 공사의 구별도 없는 비밀 행동
이 성행하고 있습니다. 정말로 사업계를 위해선 통탄할 만한
일이지요.

그가 비판하고 있는 시대는 백 년도 훨씬 전이지만 지금 우리
가 살고 있는 시대에 적용해도 어색할 것이 전혀 없어 보인다.
예나 지금이나 기업을 운영하는 사람들은 보이지 않는 돈을 이
용해 교묘히 돈을 벌 수 있다는 공공연한 유혹에 빠지기 쉽다.
하지만 그는 철저히 공자의 가르침을 기업 운영과 경제에 적용
한다는 신념을 가지고 있었기에 이런 유혹에 휩쓸리지 않을 수
있었다.

그가 지금 우리가 살고 있는 시대에 와서 기업을 운영한다면
어떨까? 그가 살던 시대보다 훨씬 더 복잡하고 그만큼 속임수가
넘쳐 나지만 그가 그릇된 판단으로 위기에 빠질 일은 없지 않을
까? 적어도 순간의 유혹에 빠져 고객의 돈을 횡령하거나 시민들
의 이익을 외면한 결정을 내려 기업 이미지에 치명적인 손상을
입히는 등의 위기에 빠지지 않을 것이다. 왜냐하면 위기와 유혹
의 순간마다 '공자의 도에서 한 발짝이라도 벗어나지 않기' 위해
애쓸 것이기 때문이다. 오히려 '이렇게 급변하는 기업 환경에서

살아남을 수 있는 지혜가 『논어』에 있지 않을까?'라고 거꾸로 질문을 던지며 당장의 이익보다 3년 뒤, 10년 뒤의 이익을 염두에 두고 가야 할 길을 찾았을 것이다.

『논어』라는 책을 평생 가까이 하지 않았다면 시부사와 에이치도 다른 기업가들과 별반 다르지 않았을지도 모른다. 그러나 그는 공자와 『논어』를 반복해서 공부하며 거기에서 배운 지혜를 자신의 인생과 일에 적용해 인생의 지침으로 삼았다. 그가 새로운 패러다임을 제시한 뛰어난 기업가, 시간과 공간을 뛰어넘어 존경받는 기업가로 남을 수 있었던 비결은 여기에 있다.

시부사와 에이치는 관료와 기업가를 넘나들며 바쁜 삶을 사는 동안에도 『논어』 공부를 게을리 하지 않았다. 너무 바쁜 나머지 『논어』를 끝까지 공부하지 못하고 중간에 그만둔 적도 있었지만 포기하지 않고 다시 도전했다고 한다. 그는 스스로 대단한 경지에 올라 있는 것은 아니었다고 말했지만, 다섯 명의 선생님에게서 『논어』를 배웠을 만큼 열정만큼은 대단했다.

당신도 시부사와 에이치처럼 내 인생의 책이라고 할 만한 책 한 권이 있는가? 아니면 쉬지 않고 공부하며 내 인생의 이정표를 확인하고 있는가? 공부는 미래를 내다보는 확고한 안목을 키울 수 있게 도와주고 인생의 방향을 잡아 준다. 그런 상태에서 다시 한 번 '지금 할 수 있는 일은 무엇인가?'라는 질문을 던지면 현재가 다르게 보이며 판단 기준과 판단 재료가 달라진다. 그때의 최종 선택은 '급한 불 먼저 끄고 보자'는 식으로 순간적인 감정이나 판단으로 결정한 것과는 확실히 다르다.

이런 선택들이 쌓인다면 인생도 어렴풋이 어떤 방향성을 갖게 될 것이다. 그러면 '지금의 결정'이라는 것의 의미도 또다시 달라진다. 지금이라는 하나의 시점만 고려하는 것이 아니라 과거와 미래까지도 염두에 둘 수 있게 된다.

인생의 정답이란 없을지도 모른다. 그렇지만 적어도 지금 내가 가는 길이 어떤 길인지, 앞으로 어떤 길로 가야 할지 알 수 있다면 그것만으로도 충분하지 않을까.

책 읽는 사람은
늙지 않는다

사람의 수명이 길어지면서 '노년 이후의 삶을 어떻게 살 것인가'가 화두로 떠오르고 있다. 그만큼 나이가 몇이 되든 '즐겁고 행복하게' 사는 방법에 대한 고민이 커지고 있다는 이야기다. 그런데 즐겁게 인생 2막을 열어야 할 시기에 사는 의미를 모르겠다며 뒤늦은 방황을 하는 중년이 많아지고 있다. 이때는 은퇴를 하고 자녀들이 가정을 떠나는 시기라 '어쩌면 내 인생이 대단한 것이 아니었는지도 모른다'라거나 '이 세상에서 나를 진정으로 이해해 주는 사람은 아무도 없다'라는 식의 상실감과 허무함, 외로움을 느끼기 쉽다. 게다가 늙어 간다는 것, 막연했던 죽음이 점차 가까워지고 있다는 것에 대해 실질적인 두려움과 불안도 덮쳐 온다. 심지어 지금까지 살아온 인생이 송두리째 흔들리는 듯 혼란스럽다고 이야기하는 사람도 있다. 인생 후반에 접어들어서야 '이 세상에 내가 존재하는 의미는 무엇일까?'라는 질문을 던지게 되는 것이다.

특히 정년을 맞은 후의 남성들은 자신의 정체성을 유지하기가 매우 힘들어진다. 그전까지는 자신이 속한 조직과 직위만으로도 존경을 받고 필요한 사람으로 대우를 받았는데 은퇴를 하면 소속이 사라지고 나를 원하는 곳이 없는 것처럼 보인다. 심지어 집에서도 거추장스러운 존재로 여겨지기도 한다. 당연히 외롭다.

이 외로움은 사람이라면 누구나 느낄 수밖에 없는 인생 그 자체의 고독이다. 돈이 많다거나 성공한 인생을 살았다고 해서 피할 수 있는 것이 아니라는 말이다. 후회 없는 행복한 인생을 살았든, 수많은 역경 속에서 힘들게 살았든 지금까지 내가 살아온 삶의 의미와 남은 삶의 방향을 되짚어 보는 순간은 누구에게나 온다.

다만 그동안 어떻게 살았느냐에 따라 그 위기가 땅과 하늘이 뒤집히는 것 같은 대형 태풍이 될 수도 있고 여름철 소나기처럼 금세 지나갈 수도 있는 것뿐이다.

배움을 향한 열정은 사람을 빛나게 한다

나는 이 위기를 극복하기 위한 유일한 방법은 배운다는 행위가 가져다주는 기쁨을 경험하는 것이라고 생각한다. 배움의 기쁨은 삶을 다시 충만하게 채워 주기 때문이다. 공부하는 삶을 사는 사람과 그렇지 않은 사람은 눈빛부터 다르다. 배우는 즐거움을 아는 사람의 눈빛은 항상 반짝이고, 허무함이나 고독은 찾아볼 수 없다.

2001년에 개봉한 〈워터보이즈〉라는 영화가 있다. 이 영화는 어느 남자고등학교 수영부 학생들이 싱크로나이즈드 스위밍에 도전한 실화를 바탕으로 만들어졌다. 여자들의 스포츠에 남자 고등학생이 도전한다는 발상도 재미있지만, 이 이야기가 영화로까지 만들어져 크게 흥행한 것은 무언가를 배우기 위해 노력하는 사람이 얼마나 빛나 보이는지를 생생하게 보여 주기 때문이라고 생각한다. 대부분의 학생이 공부할 의욕을 잃고 축 늘어진 교실을 담은 영화는 아무래도 재미가 없다.

배울 게 아직 많다고 생각하는 사람, 새로운 무언가를 배울 생각에 설레는 사람은 어딘지 모르게 빛이 나게 마련이다. 신입생이나 신입 사원들을 보며 "거 참, 패기 넘치는군. 좋을 때야"라고 자신도 모르게 중얼거리게 되는 것은 이 때문이다.

나이가 들수록 '세상에는 아직도 배울 게 많다'라는 자세를 갖기란 쉽지 않다. 그동안 살면서 쌓은 경험과 보고 들은 것들이 많기 때문에 '이쯤은 나도 알고 있다', '거기에 대해서라면 나도 할 말이 있다'라는 식으로 행동한다. 하지만 이런 태도를 가지고 누군가를 만나면 일방적인 대화만 하게 되고 상대방에게 지루하고 답답한 사람이라는 인상을 주게 된다. 한마디로 배우는 즐거움을 아는 사람이 가지고 있는 반짝임이 없다.

얼마 전 어떤 분야에서 손꼽히는 전문가로 존경받는 교수를 만났다. 우연히 대화를 나누게 되었는데 한참 나이가 어린 내 앞에서도 "아직도 배울 게 많습니다"라며 내가 하는 말 하나하나에 귀를 기울이는 것이 아닌가. 겸손함도 인상적이었지만, 무엇이든 배우고자 하는 진심 어린 눈빛 앞에서 '누구에게나 존경받는 대학자도 저런 눈빛을 가질 수 있구나. 굉장하다'라고 생각할 수밖에 없었다. 그의 뛰어난 능력은 물론이고 누구에게나 존경받는 인품도 바로 배우려는 자세에서 비롯된 것임을 쉽게 짐작할 수 있었다.

나이 들어 하는 공부가 진짜 공부다

나이가 들수록 새로운 것을 배울 일은 뜸해지기 마련이고 철학이나 문학, 예술과 가까워지기란 더더욱 어렵다. 하지만 이미 산전수전을 겪으며 인생의 단맛과 쓴맛을 다 봤기 때문에 배움이 주는 순수한 즐거움은 더욱 가치가 있다.

인생에서 남아 있는 시간을 '공부'를 중심 삼아 살면 내가 온전히 존재하고 있는 것 같은 자존감을 얻을 수가 있다. 나는 이러한 변화를 시민 대학에서 많이 보았다.

시민 대학에 오는 사람들은 나이와 성별, 공부를 하기 위한 목적이 다 제각각이다. 공부보다는 사람을 만나고 싶어 놀러 오듯 오는 사람도 있고, 매일 책을 잔뜩 싸들고 와 노트 가득히 필기를 하는 열정적인 학생들도 있다. 재미있는 점은 공부에 푹 빠진 학생들 중의 대다수가 나이 지긋한 어르신들이라는 것이다. 학위를 따기 위해서라거나, 더 똑똑해지고 아는 것이 많아지고 싶어서 온 사람들이 아니다. 은퇴도 하고 시간도 많아졌으니 집에서 놀지 말고 뭐라도 배워 볼까 하고 시작하는 게 대부분이다. 그렇게 하루 이틀 나오다 그동안 잊고 있었던 배우는 기쁨에 흠뻑 빠진다. 그들은 입을 모아 "매일 새로운 걸 배우니 너무 재미있어요"라고 말한다. 배움이 주는 순수한 즐거움에 들떠 있다는 것이 확실하게 느껴진다.

게다가 그동안 겪어 온 삶의 지혜가 공부와 합쳐져서 공부의 내용이 더욱 풍부해진다. 예를 들면 이런 식이다. 한번은 톨스토이의 『안나 카레니나』를 가지고 독서 토론회를 한 적이 있다. 분량이 많은 책이라서 역시 무리가 아닐까 걱정을 했는데, 막상 토론이 시작되자 열띤 분위기가 되었다. 20년, 30년 동안 가정을 꾸리며 살아온 어르신들이 안나의 사랑과 인생에 할 말이 굉장히 많았던 것이다. '가정을 버리고 사랑을 택했으면 끝까지 잘 살아야 할 텐데, 자살해 버리다니 안타깝다'는 의견부터 '내가 살아 보니 인생은 자기가 선택하는 것이더라, 나는 안나가 스스로 선택했기 때문에 비록 끝은 비극이라도 가치가 있다고 생각한다'라는 의견까지 다양한 이야기들이 나왔다. 내가 끼어들 틈이 없을 정도였다. 아마도 스무 살 대학생이었다면 이렇게까지 『안나 카레니나』를 파헤치기는 어려웠을 것이다. 그들에게 톨스토이는 쓸데없이 복잡하게 긴 소설을 쓴 사람이 아니라 흥미진진한 독서를 경험하게 해 준 고마운 사람으로 기억될 것이 분명하다. 이런 게 진정한 독서의 기쁨, 배우는 즐거움이 아닐까.

죽음이 가까워지고 인생이란 무엇인지 고민하기 시작하는 시점에서 철학이나 불교에 대해 공부한다면 철학자들의 이야기가 현재의 고민에 대한 답처럼 느껴질 것이다. 그야말로 공부와 내 고민이 딱 달라붙어 있는 느낌이다. 공부에는 때가 없다지만 나이에 따라, 내가 지금 어떻게 살고 있느냐에 따라 더 공감이 가고 그동안 보이지 않았던 의미가 새롭게 찾아지기도 한다. 중년 이후의 삶이라면 인간의 죽음과 행복, 삶의 의미를 진지하게 탐구하는 인문학과 궁합이 잘 맞는다.

배우는 기쁨을 알면 혼자 남는 고독한 시간도 견딜 수 있게 된다. 현대인은 유난히 고독을 두려워한다. 그래서 휴대 전화나 인터넷을 통해 다른 사람과 쉴 새 없이 대화를 주고받으며 고독을 느끼지 않으려 몸부림친다. 반면 공부는 책을 펼치는 순간부터 마치는 순간까지 혼자서 몰입하는 고독한 작업이다. 사람 때문에 느끼는 것이 아닌, '충실한 고독'이라고 할까. 함께 공부를 할 동료를 만날 수도 있지만 결국은 혼자의 힘으로 가는 것이 공부다. 공부에 몰입하는 동안은 외로움을 느낄 새도 없이 배움이 주는 즐거움에 빠지게 된다. 공부하는 삶을 살게 되면 나만의 공부에 빠져들 수 있는 조용한 시간이 반갑게 느껴진다.

또한 공부는 가장 적은 비용으로 최대의 만족감을 얻을 수 있는 효율적인 활동이다. 나이가 들어 은퇴를 할 쯤이면 아무래도 경제적으로 여유가 줄어든다. 설령 여유가 있다고 해도 물질적인 소비로 인한 만족감은 쉽게 채워지지 않는다. 인간의 욕망은 끝이 없기 때문에 하나를 손에 넣으면 곧바로 다른 뭔가가 갖고 싶어진다. 최종적인 만족이란 없는 것이다. 그에 비해 공부는 문고본으로 한 권, 만 원 내외라는 적은 돈으로 시작할 수 있다. 약간의 돈과 시간만 있다면 사라지거나 없어지지 않는 확실한 지식과 지혜를 얻는다. 심지어 오랜 시간이 지나도 그 가치가 변하지 않는다는 점에서 공부는 가장 효율적인 투자임이 틀림없다.

중국 춘추전국시대 말년에 사광이라는 유명한 악사가 있었다. 사광은 앞을 보지 못했지만, 실력이 뛰어나 그가 악기를 연주하면 새가 입에 물고 있던 모이를 떨어뜨릴 정도였다고 한다. 또한 음악뿐만 아니라 정치, 군사, 외교 등 다양한 방면으로 지혜를 갖춘 인재였다. 진나라 왕 진평공은 이런 사광의 재주를 아껴서 가까이 두고 스승이자 친구처럼 대했다.

하루는 진평공이 사광과 이야기를 하다 이런 말을 했다.

"내 나이가 이제 일흔이 넘었으니, 배우고 싶어도 나이가 많아 너무 늦었구나."

이 말을 들은 사광이 답했다.

"날이 저물었으면 촛불을 켜면 되지 않겠습니까? 제가 듣건대 소년이 배우는 것은 해 뜰 때의 별빛과 같고, 장년에 배우는 것은 한낮의 햇빛과 같으며, 노년에 배움은 촛불의 밝음과 같다고 했습니다. 촛불이 밝은데 어두움이 어찌 함께 하겠습니까?"

이렇게나 나이가 들어 무언가를 배우는 게 무슨 소용이냐고 말하는 사람이 많다. 물론 더 어렸을 때, 혹은 한창 일을 하고 성과를 낼 때 공부를 했다면 더 많은 것을 얻었을지도 모른다. 하지만 사광의 말대로 어둠 속에서 갑자기 켜진 촛불이 한 줄기 희망이 되는 것처럼, 공부는 남은 인생 길을 안내해 주는 고마운 등불이 될 수 있다.

하루 온종일 책을 읽고 공부하지 않아도 좋다. 매일 정해진 시간 동안 책을 읽거나 공부를 하는 정도, 그저 '오늘은 이걸 배웠지' 정도면 된다. 그리고 멈추지 않고 계속해서 성장하고 있다는 성취감, 새로운 의미를 얻었다는 기쁨을 만끽하자. 공부를 하고 있다는 그 사실 자체를 축하하며 매일을 음미하자. 이렇게 공부가 인생의 축이 된다면 그 인생은 죽는 마지막 날까지 헛되지 않을 것이다.

평범한 샐러리맨이
일본 최우수기업 회장이 된 비결

직장인들의 고민의 대부분은 바로 '어떻게 하면 일을 잘할 수 있을까'에서 비롯된다. 일을 잘하면 승진과 직장 내 인간관계와 관련된 많은 문제들이 수월하게 해결되는 것이 현실이며, 심지어 시간 관리와 휴식, 스트레스와 같은 인생의 질을 결정하는 문제에까지 영향을 미친다.

일을 잘한다는 것은 남들에 비해 효율적으로 문제를 해결하고, 창의적인 아이디어를 내서 남다른 성과를 낸다는 것을 의미한다. 어떤 직장인이 '일 잘한다'는 소리를 들으며 획기적인 성과를 내고 싶다면 무엇을 해야 할까? 세븐&아이홀딩스 회장 스즈키 도시후미의 이야기에 그 힌트가 숨겨져 있다.

마케팅에 과학적 사고법을 적용한 이유

일본 최대의 편의점 체인업체 세븐일레븐 재팬을 산하에 둔 세
븐&아이홀딩스의 회장 겸 CEO 스즈키 도시후미는 경제학부를
졸업하고 인사 업무를 담당하던 평범한 샐러리맨이었다. 그런데
입사 10년차에 사내 벤처로 세븐일레븐을 설립해 경영, 마케팅
이라면 이렇게 해야 한다는 상식을 과감히 파괴하고 유통업계에
는 도입되지 않았던 새로운 아이디어들을 적극적으로 시행했다.
이후 세이부 백화점과 소고 백화점을 인수하며 편의점·대형 마
트·백화점을 포함, 총매출 8조 엔을 자랑하는 일본 최대, 세계 5
위의 유통 그룹으로 키워 냈다.

그는 경영학을 전공했지만 "경영을 할 때 늘 가설을 세우고 실
험하여 그 가설이 맞는지 검증하고 오류가 있는 부분은 수정을
하는 과정을 반복하고 있다"는 말로 과학적 사고법을 적용해 경
영을 하고 있음을 밝혔다. 세븐일레븐의 직원들 역시 막연히 고
객이 이런 상품을 원할 것이라고 보고서를 쓰는 게 아니라 실험
을 하듯 가설을 설정하고 검증하도록 교육받고 있다. 어떤 상품
을 배정받았다면 '제품 특성에 맞춘 특별 매대를 만들어 진열하

면 판매량이 늘 것이다'라는 식의 가설을 세워 일정 기간 동안 실험해 보고 그 결과를 수치와 함께 자세히 기록하도록 한다. 이렇게 판매가 끝나면 금세 잊혀질 수 있는 구체적인 수치를 기록하고 분석하여 의미 있는 통찰을 이끌어 내고 그것들을 다시 검증하는 과학적인 사고법을 회장부터 작은 점포의 직원까지 능숙하게 사용할 수 있도록 끊임없이 노력했다.

만약 누구나 하는 방식대로 마케팅을 한다면 큰 실패는 없을지 몰라도 남들보다 뛰어난 성과를 얻지는 못할 것이다. 스즈키 도시후미는 그 사실을 잘 알고 있었기 때문에 현업에서 일하는 사람들이 책에 나와 있는 마케팅 이론을 뛰어넘어 자신만의 마케팅 노하우를 가지기를 원했다. 그래서 철저한 실험을 통해 주관적인 경험을 객관적인 수치로 만들고, 새로운 시도를 할 수 있도록 격려했다.

이미 검증되어 있는 수많은 마케팅 전문 기법들을 두고 과학 실험을 하듯 마케팅을 한다는 것이 언뜻 생각하면 무모한 일처럼 보이기도 한다. 하지만 '으레 해 오던 방식이 있다, 이 분야에 오랜 경험을 쌓은 전문가이다'라고 생각하는 분야일수록 잘 알고 있다는 자만심과 습관적인 사고법으로 인해 정작 보아야 할 것들을 놓치게 될 수 있다. 스즈키 도시후미가 평범한 샐러리맨에서 일본의 최고 기업 회장이 될 수 있었던 비결은 바로 어떤 문제를 해결할 때 다양한 사고법을 적용한 것에 있었던 것이다.

미국의 작가 마크 트웨인은 "만약 당신이 가진 도구가 망치 하나뿐이라면 당신은 모든 문제를 못으로 보게 될 것이다"라는 말을 했다. 내가 망치를 가지고 있기 때문에 작은 고리를 못으로 착각하기도 하고, 심지어 구멍을 못이라고 완전히 잘못 보게 될 수도 있다. 내가 주로 사용하고 있는 사고법이 단 하나라면 문제를 정확히 보는 데서부터 오류를 저지를 수 있는 것이다. 예를 들어 당신이 외과 의사라고 하자. 시간이 조금 걸리더라도 재활치료나 레이저 치료를 통해 환자의 병을 치료할 수 있는데 외과적인 수술이 반드시 필요하다고 주장하는 오류에 빠질 수 있다. 그것이 환자를 위한 가장 좋은 치료법이 아닐 수 있는데도 말이다.

쓸 수 있는 도구가 많을수록 유리하다

공부를 통해 내가 알지 못했던 새로운 지식, 새로운 사고법을 익히게 된다는 것은 내가 쓸 수 있는 도구가 많아지는 것이나 마찬가지다. 예를 들어 경영학을 전공한 사람이라도 수학이나 과학을 자유롭게 공부해서, 거기에서 배운 사고법을 토대로 더욱 논리적으로 생각하고 문제를 해결할 수 있다. 여러 개의 생각의 틀을 가지고 있다면 하나만 가지고 있을 때보다 다각적인 면에서 문제를 분석하고 창의적인 해결법을 찾을 수 있는 확률이 높아지는 것은 분명하다. 의식적으로 내가 자주 사용하는 사고법, 내가 자신 있는 전문 분야와는 동떨어진 분야를 공부를 하는 것도 도움이 된다.

애플의 스티브 잡스와 페이스북의 마크 주커버그의 공통점이 무엇인 줄 아는가? 바로 '주 전공인 공학 외에 다른 학문을 공부했다'는 것이다. 스티브 잡스는 대학을 중퇴한 이후에도 몰래 철학과 인문학 수업을 청강하며 인문학적 감수성을 키워 나갔다. 잡스는 "애플이 돋보일 수 있는 힘은 인문학에서 가져온 인간적인 면모와 기술을 접목한 데서 온다"라는 말로 애플 신화의 밑바탕이 인문학에서 비롯된 것임을 고백했다. 마크 주커버그는 컴퓨터 공학과 심리학을 복수 전공했으며 어렸을 때부터 그리스 로마 신화를 탐독하는 등 열정적인 문학 애호가였다. 그가 어린 나이에 페이스북이라는 세상을 뒤흔들 아이디어를 내보인 것은 세상과 사람을 이해하는 인문학적 상상력에서 비롯된 것 아닐까.

우리 인생에는 많은 함정이 도사리고 있어서 하나의 사고법, 하나의 전문 영역만을 가지고 살아가는 것은 지름길을 여러 개

두고 눈앞의 길 하나만을 선택하는 것이나 마찬가지다. 개별적인 전문 지식을 얼마나 많이 알고 있느냐를 따지자는 것이 아니다. 다만 끊임없는 공부를 통해 수학, 과학, 음악, 미술 등 그 분야만이 가진 특수한 사고법을 두루 익혀 두라는 말이다. 내가 문학을 전공했다는 이유로 학교를 졸업하자마자 과학 쪽으로는 고개도 돌리지 않는다면 그것만큼 큰 손해는 없다. 우리 인류가 오랜 시간 쌓아 온 지식 유산들, 갈릴레오 갈릴레이 이후에 발전한 근대 과학의 모든 성과와 과학적 사고법의 강점을 하나도 활용하지 못하고 반쪽짜리 생각만 하는 어리석음을 스스로 선택한 셈이니 말이다.

절대 풀리지 않는 문제를 푸는 법

혹시 머리가 복잡하면 고등학교 수학 문제를 풀면서 고민을 잊는다는 사람을 만난 적이 있는가? 보통 사람들은 수학이 무조건 어렵고 복잡한 분야라고만 생각하기 때문에 이런 이야기를 들으면 "그런 괴물 같은 사람들이 있어요?"라며 깜짝 놀란다. 그러나 실제로 수학의 공식과 논리를 이해하고 수학 그 자체를 즐길 줄 아는 사람들은 수학 문제에 몰입함으로써 쉽게 답이 나오지 않는 고민들에서 잠시 벗어날 수 있다고 말한다.

나 역시 골치 아픈 일이 생기면 잠시 바흐의 음악을 듣는다. 해결해야 할 문제가 복잡할수록 곡의 구성이 난해해서 분석하듯 들을 수 있는 곡으로 고르기도 한다. 음악 그 자체에 몸과 마음을 맡기며 쉰다는 의미도 있지만 곡을 분석하며 듣다 보면 지금의 복잡한 현실, 내 머릿속의 엉킨 문제와는 멀리 동떨어진 세계에 가 있는 것 같은 생각이 든다. 그러면 내가 머리를 싸매고 고민하고 있던 문제들이 잠시 멀어지고 평안함이 찾아온다. 나를 옭아매고 있던 문제에서 자유로워지는 느낌이 들고 머리가 상쾌해지는 것이다.

한동안 음악에 푹 빠져 머리를 텅 비우고 나면 정신적인 차분함을 되찾게 되고 객관적인 눈으로 문제들을 마주할 수 있다. 그렇게 문제를 다시 보면 내가 문제 속에 빠져 있을 때는 미처 보이지 않았던 것들이 보여서 의외로 쉽게 답을 찾기도 한다. 혹은 '이렇게 아름다운 세계도 있는데 나는 왜 이런 문제로 고민하고 있지, 내 마음대로 안 되는 것은 털어 버리자'라고 내 스트레스를 상대화시키며 너무 많은 에너지를 소모하지 않도록 조절한다.

마음 편히 쉴 수도 없을 만큼 답답할 때, 문제 안에 갇혀서 자꾸만 같은 자리를 뱅뱅 맴도는 것 같은 기분에 들 때가 있다면 잠깐이라도 시간을 내 공부를 하는 것이 큰 도움이 된다. '실마리가 보이지 않는다'는 것은 일정한 생각의 틀 안에 갇힌 상태에 이르렀다는 뜻으로, 이런 상태가 오래 지속되면 너무 지쳐서 문제를 해결할 에너지를 만들어 내기 어렵다. 그래서 그 문제에서 벗어나 새로운 에너지를 채우는 휴식이 매우 중요한데, 너무 많은 문제에 압도당했을 때는 그 생각에서 벗어나는 것부터 쉽지 않다. 아름다운 해변으로 휴가를 가도 머릿속을 단단히 옭아매고 있던 문제들이 쉽게 잊혀지지 않는 것처럼 말이다.

그럴 때는 차라리 지금 해결해야 할 문제와 전혀 상관없는 공부, 현실 세계와 동떨어진 공부를 하는 것이 낫다. 철학, 역사, 예술 등 다른 종류의 공부를 하다 보면 내 머릿속의 문제에서 잠시 벗어날 수 있고, 다시 여유와 새로운 에너지를 가지고 객관적으로 바라볼 수 있기 때문이다. 일종의 '정신적인 대피소'라고 할까. 대피소를 여러 개 가지고 있을수록 여러모로 유리할 것이라는 것은 말할 필요도 없다.

어떤 문제를 해결하기 위해 골몰할수록 한 가지 생각에만 빠지게 되고 그만큼 많은 것을 놓치게 된다는 사실을 사람들은 잘 모른다. 내게 주어진 업무를 해결하기 위해 노력하고 있는데 그만큼 잘 되지 않는다는 느낌을 받는 것은 이런 상황에 부딪혔기 때문이다. 그런데 그때 지나가던 상사가 툭 던진 한마디에 갑자기 해답이 떠올랐다면 그 '툭 던진 한마디'가 문제 속에 빠져 있을 때는 보지 못했던 부분, 새로운 시각으로 문제를 봐야 얻을 수 있는 의외의 답을 담고 있었다는 의미다.

일을 잘할 수 있도록 도와주는 상사를 만나지 못했는가? 전혀 억울해할 필요 없다. 공부를 하는 동안 우리는 바로 이 '툭 던진 한마디'를 수시로 듣게 될 수 있으니까 말이다.

공부하는 사람은 인생을
함부로 내버려 두지 않는다

2008년 6월 도쿄 아키하바라에서 충격적인 사건이 벌어졌다. 갑자기 한 트럭이 돌진해 행인을 치고 운전자가 차에서 내리더니 흉기로 주변에 있던 사람을 마구 찔러 죽인 것이다. 무려 7명이 죽고 10명이 다친 무차별적 살인 사건이었다. 이 사건을 벌인 범인은 비정규직 노동자로 생활고에 시달리던 25살의 젊은이였다. 그는 범행을 저지르기 전 인터넷 게시판에 자신의 처지를 토로하는 글을 여러 번 올렸으며 범행을 일으킨 날에도 아키하바라에서 어떤 식으로 사람을 죽일 것인지를 예고하는 글을 남겼다. 그는 "세상이 싫어졌다. 누구라도 죽이고 싶었다"며 자신의 범행에 대해 반성하는 기미도 보이지 않았다.

그가 저지른 살인은 도저히 용서할 수 없는 것이다. 하지만 인터넷이라는 익명의 공간에 수많은 글을 올리며 자신의 고통을 토로하는 동안 얼마나 외롭고 답답했을지를 생각해 보면 안타까운 마음이 든다. 그는 자신도 어떻게 할 수 없는 깊은 고립감과 절망감에 빠져 엉망진창이 되었고 사람의 목숨과 인생을 소중히 여겨야 한다는 아주 기본적인 가치마저도 외면하고 말았다. 그래서 살인이라는 극단적인 방법을 택해 무고한 사람들의 생명을 빼앗은 것은 물론 자신의 인생까지 내동댕이쳤다.

만약 그가 공부하는 삶을 살았다면 어땠을까? 나는 그가 깊은 절망에 빠졌을 때 삶을 향한 희망을 놓지 않도록 붙잡아 주는 단한 권의 책만 있었어도 그런 살인 사건을 벌이지는 않았을 것이라고 생각한다.

노숙자와 범죄자들이 인문학을 공부한 이유

1995년 미국의 작가 얼 쇼리스는 빈곤에 대한 책을 쓰기 위해 뉴욕의 한 교도소를 방문해 죄수들을 인터뷰했다. 그는 살인 사건에 연루되어 8년째 복역 중인 여죄수와 대화를 하다 다음과 같은 질문을 던졌다.

"사람들이 왜 가난하다고 생각하나요?"

그 죄수는 "시내 중심가 사람들이 누리고 있는 정신적인 삶이 없기 때문"이라고 답했다. 예상치 못한 답에 놀란 얼 쇼리스가 정신적인 삶이 무엇이라고 생각하는지 되묻자 그녀는 이렇게 대답했다고 한다.

"극장과 연주회, 박물관, 강연 같은 거죠. 그냥 인문학 말이에요."

이 말에 깨달음을 얻은 얼 쇼리스는 노숙자, 매춘부, 범죄자와 같은 사람들에게 인문학을 가르치는 '클레멘트 코스'를 만들었다. 처음에는 아무도 빈민들에게 인문학을 가르쳐야 하는 이유에 대해 이해하지 못했다. 당장 돈을 벌 수 있는 기술도 아니고, 문학과 역사를 배운다는 게 새로운 인생을 사는 데 실질적인 도움이 되지 않을 거라 여겼기 때문이었다. 하지만 그는 사비를 털어 교수들을 초청했고 노숙자와 약물중독자 등 31명의 학생을 모아 플라톤과 아리스토텔레스를 공부하기 시작했다. 그는 "그리스 비극 안티고네를 읽었을 때 학생들은 가족과 전통이 국가의 법과 서로 충돌할 수 있다는 사실을 나보다 더 잘 이해했다"고 말한다. 처음 1년 코스가 끝났을 때 31명 중 17명이 수료증을 받았고 나중에 이들 중 2명은 치과 의사가, 전과자였던 여성은 약물중독자 재활센터의 상담실장이 되었다.

"왜 내가 마약을 끊어야 하는지를 알았다"라는 클레멘스 코스 수강생의 고백은 공부가 스스로 생각하고 판단할 수 있게 하고, 스스로의 힘으로 비참하고 절망스러운 처지를 벗어날 수 있게 도와준다는 것을 단적으로 보여 준다. 자신이 왜 살아야 하는지, 왜 지금의 처지를 벗어나기 위해 노력해야 하는지 그 이유를 찾지 못해 자신의 삶을 멋대로 방치했던 사람들이 공부를 통해 인간답게 사는 법, 더 나은 삶에 대해 고민하게 되었다. 그리고 스스로 생각하고 공부할 수 있다는 자신감은 자발적인 대학 진학과 취업으로 이어져 그들에게 새로운 삶을 안겨 주었다. 열악한 환경과 불운에 둘러싸여 생존을 위한 즉각적인 대응밖에 할 수 없었던 사람들이 인문학을 공부함으로써 반성적으로 생각하고 새로운 삶을 살고 싶다는 소망을 가졌으면 좋겠다는 얼 쇼리스의 목표가 실현된 셈이다.

우리가 공부를 해야 한다는 의무에 짓눌려서 잘 알지 못했을 뿐이지 공부에는 나 자신을 긍정하고 인생을 소중히 여기도록 해 주는 힘이 있다. 스스로 생각하고 공부할 수 있으며 지혜로운 판단을 내릴 수 있다는 사실은 자신감과 성취감을 가져다주고 그만큼 긍정적인 자아상을 갖게 한다. 나 자신이 소중하니 내 인생도 소중할 수밖에 없다. 깊은 절망에 빠졌다고 해서 스스로 인생을 포기하거나 자포자기하는 일이 생길 수 없는 것이다.

일본에서는 과도한 경쟁과 공부에 대한 압박으로 자살하는 학생들이 많은 것이 사회적으로 심각한 문제이다. 그러나 대학을 가기 위한 수단으로만 공부를 하고 성적이 오르지 않는다며 사방에서 다그치는 현실이 문제이지 공부를 한다는 사실 자체가 사람을 자살로 몰아가는 것은 아니다. 만약 경쟁과 강요가 없어서 학생들 스스로가 즐겁게 공부할 수 있다면 이런 자살 문제는 저절로 사라질 것이다. 공부 스트레스로 죽고 싶다는 말을 하는 아이가 있다면 푹 쉬게 해 주고 자기가 진짜 하고 싶은 공부를 마음껏 하게 두면 된다. 공부하고 있다는 상태는 동일하지만 차차 공부하는 즐거움과 성취감을 알게 되면서 긍정적인 마음을 갖게 될 것이다.

공부가 주는 희망

2009년에 한 소녀가 하버드대학에 들어가 화제가 되었다. 그녀의 이름은 카디자 윌리엄스. 그녀는 태어날 때부터 집이 없는 홈리스였고 뉴욕과 로스앤젤레스 등 여러 도시를 전전하며 인생의 대부분을 홈리스로 살았다. 그러나 그녀는 공부를 포기하지 않았다. 비록 학교를 12번이나 옮기고, 6학년은 건너뛰고 8학년은 학교에 나간 날이 2주밖에 되지 않는 등 학교를 제대로 다니지는 못했지만 끝까지 포기하지 않은 것이다. 홈리스 센터에 머무르는 동안은 학교에 갈 수 있어서 새벽에 일어나 냄새가 나지 않는 옷을 입고 학교에 갔고, 모자라는 잠은 버스 안에서 보충했다. "집도 없는 주제에 무슨 공부냐"라는 주변의 빈정거림과 핀잔에도 불구하고 한 달에 4~5권 책을 읽는 노력 끝에 결국 고등학교를 졸업했으며 심지어 하버드대학의 입학 허가까지 받았다.

그녀의 성적은 학교 내에서는 비교적 좋은 편이었지만 객관적으로 하버드대학에 들어가기는커녕 웬만한 주립 대학에 들어가기도 어려운 수준이었다고 한다. 그런데도 하버드를 비롯한 콜럼비아대학, 브라운대학 등에 당당히 합격했다. 왜 미국의 명문대는 그녀를 자신의 학생으로 받아들인 것일까?

대학에서 학생을 뽑으며 왜 이 학생을 뽑는지 설명하지 않으니 그 이유는 아무도 모르지만 나는 하버드대학이 카디자의 공부를 향한 의지와 삶에 대한 희망을 놓지 않으려는 태도에 점수를 주었다고 생각한다. 그녀는 공부를 통해 태어날 때부터 주어졌던 환경을 극복했고, 스스로 삶을 개척해 미래를 만들었다. 그런 절망적인 상황에서도 끝까지 공부를 했다면 어떤 어려운 공부도 적극적으로 해 나갈 것이며, 삶을 뒤흔들 수 있는 위기가 와도 자포자기하지 않을 것이라고 믿었던 게 아니었을까.

그러고 보면 공부의 본질 가운데 하나는 '희망'이라는 생각이 든다. 공부는 하면 할수록 더 알고 싶다는 의욕과 할 수 있다는 자신감이 솟게 하고, 노력하는 만큼 결과를 얻을 수 있다는 성취감과 희열을 준다.

누구나 좋은 환경에서 태어나 자신이 원하는 대로 인생을 쉽게 살 수 있다면 좋겠지만 불행하게도 인간의 삶이 완전히 평등하지는 않다. 그럼에도 공부를 통해 스스로의 삶을 더 행복하고 가치 있는 것으로 만들 수 있으니 얼마나 다행인지 모르겠다.

평생 공부가
내게 가르쳐준 것들

내가 "공부하는 인생은 반드시 달라집니다"라고 자신 있게 이야기할 수 있는 것은 나 스스로 그런 변화를 경험했기 때문이다. 만약 공부를 하지 않았다면 지금 내 모습이 어땠을까? 아마 지금의 모습과는 많이 달랐을 것이다. 그리고 앞으로 내가 공부할 날도 많이 남아 있으니 내가 평생 공부를 지속해 나간다면 미래의 내 모습도 지금과는 아주 많이 달라질 거라 생각한다.

어떤 공부를 어떻게 하느냐에 따라 사람의 인생은 너무나 달라질 수 있어서 내 경험이 누구에게나 통하는 것은 아닐 것이다. 그러나 내 사례를 통해 공부에서 얻을 수 있는 것들이 무엇인지

가늠해 보길 바란다.

나만의 아우라

누군가 내게 "지금 하시는 일이 무엇인가요?"라고 물어보면 대답하기가 참 어렵다. 대학에서 문학을 가르치고 있으며, 교육심리학자로서 어떻게 학습자를 교육해야 할지 연구하기도 하고, TV에 출연해 강연과 상담까지 하고 있다. 그리고 짬짬이 시간을 내 책을 쓰는 작가이기도 하다. 보통 사람들이 생각하는 교수의 이미지가 범접할 수 없는 권위를 가진 사람이라면 나는 '도대체 이 사람의 정체는 무엇인가'라는 생각이 들 정도로 이런저런 일을 벌이면서 살고 있는 것이다. 내가 낸 책의 주제들도 각양각색이다. 역사, 독서법, 직장 내 커뮤니케이션, 자녀 교육, 문학, 어학 등등 그야말로 분야를 넘나든다.

사실 내가 이렇게 분야와 주제를 넘나들며 공부를 하고 책을 쓰는 것은 오로지 나 자신의 재미와 흥미에 따라 그때그때 공부 주제를 바꾸며 살아왔기 때문이다. 물론 내가 주로 공부하는 것은 문학과 교육심리학이지만 수업을 하다가 '효과적인 토론법'에 대해 관심이 가면 그쪽 분야의 책을 섭렵하면서 나만의 공부를 한다. 그 내용을 바탕으로 글도 쓰고 강연을 하다 보니 내가 다루는 분야가 계속 확대된 것이다. 경계를 정해 두지 않고 쉼 없이 공부를 해 왔기에 가능한 일이었다.

나름대로 이런 이미지를 오래 쌓아 오다 보니 '사이토 다카시' 하면 일반적인 대학 교수들과 달리 다양한 분야에 두루 관심이 많고 대중적으로 접근하는 괴짜 교수라는 평을 듣게 되었다. 내가 의도한 것은 아니었지만 다른 사람이 쉽게 흉내 낼 수 없는 내 나름의 개성이 된 셈이다. 그런 개성을 바탕으로 지금까지 즐겁게 공부하며 살고 있다.

나만의 개성, 바꿔 말하면 누구와도 대체할 수 없는 나만의 강점을 갖는다는 것은 이 세상을 살아가는 데 강력한 무기를 하나 얻는 것과 같다. 누구도 회사에서 '있어도 그만, 없어도 그만'인 존재로 살고 싶어 하지 않는다. 그렇게 살다가는 오래 버틸 수도 없다. 하지만 평생 공부를 하다 보면 오랜 시간 공부가 내 안에 쌓여서 누군가 쉽게 흉내 낼 수 없는 나만의 지식 세계, 나만의 아우라가 생긴다. 그게 바로 긴 인생을 살아야 하는 우리가 반드시 갖추어야 할 요소가 아닐까.

자신감

몇 년 전부터 나는 첼로를 배우고 있다. 내가 처음 첼로를 배우겠다고 했을 때 주변 사람들은 다들 의아해했다. "첼리스트가 될 것도 아니고 지금 그 나이에 첼로를 배워서 어디에 쓰려고 하냐", "취미 삼아 하는 건데 적당히 해라"라고 말해 주는 건 그나마 양반이었다. 심지어 "나이 들어서 주책이다"라는 말까지 하는 사람도 있었다.

사실 악기 배우기는 내 오랜 꿈이었다. 어렸을 때 잠깐 피아노를 배웠는데, 그때는 재미없는 바이엘을 수십 번 반복해서 연습해야 하는 게 너무 싫어서 그만 포기해 버렸다. 피아노를 연주하는 기쁨을 미처 깨달을 새도 없었다. 하지만 어른이 되고 나자 다룰 줄 아는 악기가 하나쯤 있다는 것이 꽤 괜찮은 일이라는 생각이 들었다. 그동안은 바쁘다는 핑계로 오랫동안 꿈으로만 간직하고 있다가 마침내 실행에 옮긴 것이다.

다른 사람들의 말처럼 첼리스트가 되겠다는 목표가 있어서 배우는 것은 아니니 부담감은 내려놓고 연주할 수 있는 곡이 한두 개 정도 있는 수준으로 즐겁게 배우고 싶다는 목표를 가지고 시작했다. 수업도 내가 할 수 있는 만큼 여유 있게 잡았고, 기초부터 단계별로 거치는 것보다 기초 레슨 뒤에 내가 좋아하는 곡을 능숙하게 켤 수 있도록 연습하는 방향으로 정했다.

그랬더니 불과 몇 달 만에 한 곡을 너끈히 연주하는 수준으로 실력이 늘었다. 척척 진도가 나가니 연습이 지루하기는커녕 신이 났고 무엇보다 "생각보다 정말 잘하시는데요?"라는 칭찬을 듣는 것이 너무도 기뻤다. 굳은 손으로 첼로를 배울 수 있을까 걱정했던 것이 무색하게 나는 꽤 잘 해내고 있었다. 예상치도 못한 즐거움에 한동안은 첼로 연습에 푹 빠져 있었다.

생각해 보면 그동안 나는 새로운 무언가를 배우며 그 과정에서 '나도 할 수 있구나'라는 자신감과 즐거움을 느끼는 것에 무감각해져 있었다. 물론 공부를 하며 즐겁고 성취감을 느끼는 순간도 많았지만 그만큼 내가 부족하다는 생각에 절망한 적도, 더 잘할 수 없을까 고민한 적도 많았다. 게다가 나이가 들수록 나보다 더 뛰어난 후배들과 제자들의 활약을 보면서 '내가 언제까지 뒤처지지 않고 공부할 수 있을까'라는 생각이 들어 얼마쯤 자신감을 잃었던 것도 있었다. 그런데 마치 초등학생이 된 것처럼 백지장 상태로 돌아가 첼로를 배우는 동안 나도 '무엇이든 새로 배울 수 있으며 잘할 수 있다'는 자신감을 다시금 얻게 된 것이다. 남은 인생도 젊었을 적 못지않게 살 수 있다는 확신을 얻었음은 물론이다.

인생을 살다 보면 내 능력이 부족한 것 같아서, 내가 아무리 노력해도 따라잡을 수 없는 것 같아서 좌절하고 의기소침해지는 경우가 얼마나 많은가. 그러나 오직 나의 성장을 위해 꾸준히 공부하는 인생을 살면 본인 스스로 '나는 지금 성장하고 있으며 성장을 이끌어 나갈 자신이 있다'라는 긍정적인 자아상을 갖게 된다.

남보다 하루를 더 길게 쓰는 능력

여러 가지 공부에 관심이 많다 보니 가장 중요한 것은 시간 관리다. 나의 경우 TV에 출연하기 전에 제작진과 미팅을 하고 조교들을 만나 다음 학기 수업 계획을 논의하는 식으로 여러 개의 스케줄을 소화해야 할 때가 많다. 이때 만약 미팅이 길어진다면 시간이 지체되고, 그다음 일정도 방해를 받는 것은 물론 내가 공부해야 할 시간이 확연히 줄어든다. 그래서 회의를 하기 전에는 먼저 메일로 안건들을 주고받아 대강의 회의 방향을 결정해서 쓸데없는 시간 낭비가 없도록 준비를 한다.

또한 오늘 반드시 해야 할 공부가 있다면 '오늘 할 일' 목록 상단에 올려놓고 잠깐이라도 책을 펼쳐 공부할 수 있는 시간을 확보한다. 정 안 될 때는 사무실에서 나와 카페로 가서 공부를 하기도 한다. 어차피 카페라는 공간이 2시간 이상 앉아 있기 힘들고, 주변에 보는 사람이 많기 때문에 시선을 의식해서라도 더 열심히 공부를 하게 된다는 사실을 경험으로 터득했기 때문이다.

이렇게 매일 철저하게 시간 관리를 하다 보니 나름대로 시간 관리 노하우가 쌓여 남들보다 하루를 더 길게 쓸 수 있게 되었다. 시간을 절약해서 더 많은 일을 하겠다는 욕심을 부리는 게 아니라, 어떤 일을 하더라도 효율적으로 밀도 있게 하는 습관이 든 것이다. 자연히 공부하는 습관에도 영향을 미쳐서 무작정 많은 시간을 들여 공부하는 것에 연연해하지 않고 단 30분을 공부하더라도 집중해서 할 수 있게 되었다.

공부로 당신의 인생이 어떻게 바뀔지는 아무도 모른다. 그러나 분명한 것은 어느 방향으로든, 어떤 모습으로든 변화한다는 것이다. 지금 공부하기로 마음먹었다면 그 변화를 설레는 마음으로 기다리기만 하면 된다.

chapter 3

무엇을
어떻게
배울 것인가

: 공자와 소크라테스에게 배우다

공자의
공부법

—

'배움 그 자체를
즐겨라'

공부를 즐기면
인생이 바뀐다

세상에 공부가 '좋아서' 하는 사람이 얼마나 될까? 공부에 대해 여러 책을 썼던 나조차도 "저는 공부를 좋아합니다"라는 말이 입 밖으로 선뜻 나오지 않는다. 대부분의 사람들에게 공부는 '중요한 것은 알지만 하기 싫은 것'이다. 공부에 대한 재미를 느낄 새도 없이 더 많이 공부하고 더 좋은 성적을 내야 한다는 압박을 받으며 공부했기 때문이다. 그런 분위기에서 "공부를 좋아한다"는 말을 했다가는 튀고 싶어 하는 사람으로 취급받거나 "공부를 꽤 잘하는 사람인가보군" 하는 오해를 받기 쉽다. 그런데 어떤 사람을 만나든 "나는 공부를 좋아하는 사람입니다"라고 말하기를 주저하지 않은 사람이 있었다. 바로 공자다.

공부하는 즐거움

『논어』를 보면 공자가 스스로를 '공부를 좋아하는 사람'이라고
정의하는 부분을 굉장히 많이 찾아볼 수 있다. 공자의 제자 자로
에게 누군가 "당신의 스승은 어떤 사람입니까?"라고 물은 적이
있다. 자로는 그 말에 대답을 하지 않았다. 질문한 사람의 성품
이 마음에 들지 않아서 스승에 대해 길게 이야기를 하고 싶지 않
았던 것이다. 자로가 나중에 스승 공자에게 이 이야기를 전하자
공자는 이렇게 말했다.

"너는 왜 이렇게 말하지 않았느냐? 나는 무언가를 배울 때는
온 마음을 다해 먹는 것도 잊어버리고, 그 배움이 즐거워서
모든 근심 걱정도 잊어버린다. 그뿐인가. 나이가 들어서 늙음
이 찾아오는 것조차 알지 못할 정도다."

'공부하는 사람'이라는 말 이외에 자신을 설명하기 위해 덧붙
여야 할 말은 없다는 것이다. 이렇듯 그는 스스로를 '배움을 좋아
하는(好學)' 사람으로 정의 내렸고, 누구에게든 그렇게 소개하는

것을 망설이지 않았다. 심지어 평소 제자들 앞에서 매우 겸손한 사람이었지만 "열 집쯤 모인 작은 마을에도 나처럼 마음이 진실하고 믿음직스러운 사람은 있을 것이다. 그러나 나처럼 배우기를 좋아하는 사람은 없을 것이다"라고 말하며, 공부를 좋아함에 있어서는 겸손함을 버리고 나를 따를 사람이 없을 것이라는 은근한 자부심을 내비쳤다.

공자가 그토록 배움을 사랑한 것은 공부 그 자체가 '기쁘고 즐거운 것'이었기 때문이었다. 공자는 남에게 인정받기 위해, 다른 사람을 이기기 위해 공부하지 않았다. 오직 무언가를 배움으로써 새로운 깨달음을 얻는 즐거움에만 집중했다. 우리 역시 그럴 수 있다. '공부를 해야 한다', '좋은 성적을 거두어야 한다'라는 부담감을 내려놓는다면 공자가 느꼈던 그런 즐거움을 누릴 수 있을 것이다. 무언가 새로운 것을 알아간다는 건 굉장히 흥미진진한 일이니 말이다.

기억을 더듬어 보자. 풀리지 않는 문제를 붙잡고 끙끙대다 결국 해답을 찾았을 때 엄청난 기쁨과 통쾌함을 느낀 적이 없는가? 나도 도전하면 이루지 못할 것이 없다는 자신감을 얻지 않았는가? 몇 시간이고 집중해서 공부하다 문득 고개를 들었을 때, 훌쩍 지나간 시간을 보며 신기함과 뿌듯함을 느낀 적이 없는가?

다른 사람과 성적을 비교하지 않는다면, 획일적인 평가 방식만 없다면 공부는 우리 인생에서 기쁨, 성취감, 만족감 등 긍정적인 감정을 경험하게 해 주는 즐거운 활동이다. 더 나아가서는 어려운 문제에 도전하는 법, 실패하더라도 좌절하지 않는 법, 타인과 소통하며 생각을 나누는 법 등 인생을 사는 데 꼭 필요한 방법을 배울 수 있다. 나를 긍정하고 성장하게 만들어 주니 그것보다 좋은 일이 어디 있겠는가. 공자는 바로 그런 점에서 공부가 좋다고 말한 것이다.

세상 모든 것에 배움이 있다

공자는 자신을 성장하게 할 수만 있다면 무엇이든 배움의 대상이 될 수 있다고 생각했다. 어디에서나, 어떤 사람에게나, 어떤 학문이나 배울 것이 있을 테니 공부의 대상을 한정 지을 필요가 없다고 생각한 것이다. "세 사람이 길을 가면 그 안에는 반드시 내 스승이 있다"라는 말은 이런 맥락에서 나온 말이다. 바람직한 면은 본받아 내 것으로 만들고, 바람직하지 않은 면이 있다면 그것을 경계하며 자신의 잘못을 고쳐 나가면 되니 모두 나에게 의미 있는 배움이 될 수 있다.

또한 공자는 시와 음악을 통해 '인(仁)'과 '예(禮)'를 실현할 수 있다고 믿었다. 『논어』에 보면 공자의 제자 진항과 공자의 아들 백어가 시의 가치에 대해 이야기하는 대목이 나온다. 진항이 백어에게 "선생님께서 혹시 특별하게 강조한 공부가 있습니까?"라고 묻자 백어가 이렇게 답을 했다.

"언젠가 아버님이 혼자 계실 때, 내가 그 앞을 지나가는데 아버님이 부르시더니 이렇게 말씀하셨습니다. '시를 배웠느냐?' 저는 '아직 못 배웠습니다'라고 답했습니다. 그랬더니 아버님께서 '시를 배우지 않으면 말을 할 수가 없다'라고 말씀하셨습니다. 그래서 저는 시를 공부했습니다."

여기서 공자가 말하는 시란 당시 전해져 내려오던 민요를 말한다. 그것은 아주 평범한 사람들의 인생과 사랑, 희노애락이 꾸밈없이 담겨 있던 소박한 노래들이었다. 언뜻 생각하면 과연 거기에서 배울 만한 것이 있을까 싶지만 공자는 시에 '사특함이 없다'고 말하며 높게 평가했다. 시의 내용은 솔직한 감정의 표현이기에 거짓이 끼어들 틈이 없어 인간다움을 가장 잘 드러내고 있다는 것이다. 그래서 "시는 마음을 감동시켜 기쁘게 하고, 세상의 일을 살필 지혜를 주며, 사람이나 자연이나 모두와 조화롭게 사귀되 패거리를 짓지 않게 해 주"는 등 사람이 인생을 살아가는데 필요한 모든 것을 자연스럽게 알 수 있도록 도와준다고 말했다. 공자에게 공부란 성현들의 책을 읽으며 현학적이고 고차원적인 공부를 하는 것만이 전부가 아니었다. '사람다움'을 배울 수 있다면 우리 주변에서 흔히 접하는 모든 것에서 배울 것이 있다는 게 그의 생각이었다.

공자의 "나는 공부를 좋아하는 사람이다"라는 말에는 이런 의미가 담겨 있다.
- 나는 배움이 주는 순수한 기쁨을 잘 알고 있다.
- 나는 입신양명이나 부를 쌓기 위한 공부가 아닌 성장을 위한 공부 그 자체를 좋아한다.
- 나는 세상 어디에서든, 어떤 것에서든 '사람다움'의 가치를 찾아내고 배울 준비가 되어 있다.
- '사람다움'을 배울 수 있다면 그게 무엇이든 좋은 것은 기쁜 마음으로 배우고, 나쁜 것은 경계해야 할 예로 삼는다.

나는 이것이 '평생 공부하는 사람'의 자세라고 생각한다. 이렇게 산다면 공부하다 지쳐서 지레 포기할 일도, 원하는 결과가 나오지 않아 좌절할 일도, 필요할 때만 잠깐 공부를 했다가 끝낼 일도 없다.

만약 당신이 평생 공부하는 삶을 살아야겠다고 마음먹었다면 공자의 '나는 공부를 좋아하는 사람이다'라는 말 속에 담긴 의미를 잊지 말고 실천하기를 바란다. 그리고 언젠가는 당신도 공부 그 자체의 즐거움과 기쁨을 경험하고 당당하게 "나는 공부하기를 좋아하는 사람입니다"라는 말을 하는 날이 왔으면 좋겠다.

'하루 빨리 성과를 내고 경쟁에서 이겨야 하는데, 과연 이렇게 공부해서 될까? 문제없이 잘살 수 있을까?'라는 의문은 가지지 말자. 바로 공자의 삶이 증명하고 있다. 이런 마음가짐으로 평생 공부하며 산 사람이 얼마나 위대한 업적을 이룰 수 있는지 말이다.

'사람다움'을 일깨워 주는
공자의 공부

몇 년 전 일본에서는 한 중학생이 이지메(집단 괴롭힘)를 견디지 못해 자살이라는 극단적인 선택을 한 사건이 있었다. 사실 일본에서는 학교든 회사든 어디에서나 이지메가 공공연하게 일어나고 있어 이로 인한 자살과 범죄가 끊이지 않는다. 그런데 이 사건이 일본 사회를 큰 충격에 빠뜨린 것은 매일 점심시간마다 숨진 학생에게 자살 연습이라며 목을 조르거나 장례식 놀이를 하며 죽음을 강요했다는 사실이 뒤늦게 밝혀졌기 때문이었다. 주변 학생들의 증언에 따르면 숨진 학생이 괴롭힌 학생에게 매일 '죽겠습니다'라고 쓴 이메일을 보내야 했고, 친구가 암에 걸리면 자신의 생명을 바치겠다고 말할 것을 강요당했다고 한다.

그런데 학교 관계자들은 이런 일이 벌어지고 있다는 사실을 까맣게 몰랐을 뿐만 아니라 친구들의 증언을 은폐하려고 했으며 "자살과 이지메의 인과관계는 판단할 수 없다"는 발표를 해 어떻게든 책임을 지지 않으려는 태도만 보였다.

이 사건을 접했을 때는 그저 참담한 기분이었다. 이제 열세 살 정도밖에 되지 않은 어린 학생들이 어떻게 이렇게까지 행동하게 된 것일까. '친구를 괴롭히지 않는다', '생명은 소중하다'와 같은 기본적인 가치들이 완전히 파괴되었고 아직 순수해야 할 학생들이 괴물이 되고 말았다.

아이들에게 더 많은 지식을 가르치기 이전에 인간답게 살기 위한 가치를 먼저 가르쳐야 하는데, 경쟁에서 이기기 위해서라면 나머지는 중요하지 않다는 식의 생각만 주입하고 있으니 이런 일이 벌어지는 것이 아니겠는가. 그들을 보호하고 이끌어 주어야 할 어른들도 제 역할을 하지 못하고 어떻게든 대충 수습하려는 못난 모습만 보여 주니 더욱 답답할 따름이다.

나는 점점 각박해지고 있는 우리 사회를 바로잡으려면 학교에서 『논어』를 가르쳐야 한다고 생각한다. 왜냐하면 『논어』는 우리가 공부를 하는 이유가 사람답게 살기 위해서이며, 그것이 모든 공부의 시작이라는 점을 명확하게 알려 주기 때문이다.

공부는 나를 더 좋은 사람으로 만든다

공자는 사람이 지켜야 할 가치가 몸에 자연스럽게 배어 있는 사람이 되어야 하기 때문에 공부를 해야 한다고 생각했다. 즉 공부의 목표가 '성숙한 인격을 가진 사람이 되는 것'이었다. 공자가 말하는 성숙한 인간이란 사람다움을 되살리고, 예를 실천하는 사람이다. 욕심을 앞세워 이익을 추구하지 않고, 가난해도 공부 속에서 즐거움을 찾을 수 있으며, 항상 사람에 대한 착한 마음을 가진 사람, 이런 인격적 성숙을 갖춘 사람을 공자는 '군자(君子)'라고 불렀다.

우리 중에 대학 진학, 취업, 승진 같은 목표를 이루기 위한 공부 외에, 내면의 성숙 혹은 순수하게 공부 그 자체를 즐기기 위해 공부한 경험이 있는 사람이 있을까? 공부를 잘하고 못하고를 떠나 공부가 내면의 성숙을 위한 것이라고 생각해 본 사람은 거의 없을 것이다. '공부로 인격을 수양하는 것이 가능한가?'라는 의문마저 들지도 모른다. 설령 공부를 통해 내가 더 좋은 사람이 되어 사람답게 살 수 있다고 해도, 그게 성공을 위해서는 아무 쓸모가 없는데 왜 공부의 목표를 성적이 아닌 인격 수양으로 잡아야 하느냐고 되물을지도 모르겠다.

공자의 제자로 잘 알려진 자로 역시 처음에는 공부를 해서 성숙한 사람이 되어야 할 필요가 있겠냐고 생각하는 사람이었다. 그래서 처음 공자를 만났을 때 '군자라면 반드시 학문을 해야 한다'는 공자의 말에 자로는 이렇게 말했다.

"대나무는 잡아 주지 않아도 저절로 반듯하게 자라며, 그것을 잘라 쓰면 소가죽도 뚫을 수 있습니다. 이런 식이라면 꼭 배워야 할 필요가 있습니까?"

대나무는 누가 가꾸지 않아도 혼자서 곧게 자라기 때문에 그대로 잘라서 화살이나 창으로 쓸 수 있다. 자로는 원래 타고난 능력이 뛰어난데, 굳이 배울 필요가 있겠느냐고 생각한 것이다. 일리 있는 말이다. 공자는 뭐라고 답했을까?

"화살 한쪽에 깃을 꽂고, 다른 한쪽에 촉을 갈아 박는다면 박히는 깊이가 더 깊지 않겠는가?"

물론 타고난 재능으로 성공하는 사람도 있고, 선한 심성을 가져 배우지 않아도 '인'과 '예'를 실천하는 삶을 사는 사람들도 있다. 그러나 공자는 배움으로써 지금보다 더 나은 사람이 될 수 있기 때문에 이미 가진 능력이 많고 적음을 떠나 누구든 공부를 게을리 해서는 안 된다고 생각했다.

세상을 살다 보면 나도 모르게 욕심에 눈이 어두워져 어리석은 행동을 하게 되고, 자기중심적으로만 생각해 다른 사람을 배려하지 않게 되며, 진심을 따르기보다는 남들이 다 하는 대로 허례허식에 집착하게 된다. 공자는 바로 그것을 경계했던 것이다.

공자의 공부론에 따르면 공부에는 끝이 있을 수가 없다. 인생의 마지막 날 숨을 거둘 때까지 평생 동안 인격을 수양하고 자신을 완성시켜 나가는 것이 공부고, 결국 삶을 산다는 것은 공부하는 것 그 자체인 것이다.

"배움은 해도 해도 늘 부족한 듯이 끝이 없는 것이다. 오히려
알고 있는 것을 잊게 될까 늘 염려해야 한다."

공자는 자신의 신념대로 평생을 공부하며 살았고, 비록 어느 한 군데 정착하지 못하고 떠돌이 생활을 해야 했지만 그 삶을 절대 후회하지 않았다. 오히려 인생에 대한 명확한 목표를 가지고

있었기에 흔들림이 없었다. 『논어』에서 공자는 자신의 인생에 대해 이야기하면서 열다섯 살에 배움에 뜻을 세웠다(志于學)고 말을 했는데, 그렇다면 굉장히 어린 나이에 인생의 목표를 세운 셈이다. 그러니 『논어』에서 인생살이의 지루함, 허무함을 토로한다거나 막연한 두려움에 빠져 번뇌하는 공자의 모습을 찾기 어려운 것은 당연한 일이다. '나는 과연 잘 살고 있는 것일까?'라는 질문을 던지며 고민하거나 방황하지 않고 죽는 날까지 얼마나 충실하게 배움을 실천하며 살았을지 짐작해 보면 새삼 공자는 위대한 스승이었다는 생각이 든다.

행복한 세상을 만드는 공부

그렇다면 우리는 성숙한 사람이 되기 위해 내 안으로 파고들며 공부하면 그만인 것일까? 공자는 단지 나 혼자만 도덕과 예를 지키며 사람답게 사는 것이 공부의 끝이 아니라 모든 사람들이, 누구나 사람답게 사는 세상이 오도록 노력하는 것도 공부하는 사람의 몫이라고 생각했다.

공자가 살던 시대는 춘추전국시대로, 중국 대륙이 여러 나라로 나뉘어 전쟁을 일삼던 매우 혼란한 시기였다. 각 나라를 통치하던 군주들은 백성들의 안위를 먼저 생각하기보다는 군대의 힘을 키워 더 넓은 땅을 차지하고, 나라가 부유해지는 것에만 관심을 쏟았다. 당연히 백성들의 삶은 엉망이었다. 먹고 사는 문제는 물론이고 '사람답게' 사는 것도 어려운 난세였다.

공자는 어떤 군주가 나라를 다스리느냐에 따라 백성들의 삶이 달라지는 만큼, 백성을 이해하고 나라를 평화롭게 이끌 수 있는 '군자'가 '군주'가 되어 나라를 다스려야 한다고 생각했다. 군주가 인격이 훌륭하고 '인'과 '예'를 실천하는 동시에 정치 실력도 뛰어나다면 더할 나위 없이 좋겠지만 만약 그렇지 않다면 군주가 좋은 정치를 펼칠 수 있도록 군자들이 옆에서 도와야 한다는 것이 공자가 지향한 바였다.

나의 인격을 성숙시키는 것에서 시작하는 공부는 군자가 되어야 한다는 목표로 이어지고, 결국은 어떻게 정치를 펼칠 것인가, 어떻게 좋은 세상을 만들 것인가로 이어진다. 공자는 어차피 바꿀 수 없는 어지러운 세상을 피해 나의 성장에만 집중하는 것이 아니라 모두가 잘사는 세상, 좋은 세상을 만드는 일이 군자의 사명이라고 생각했다. 세상을 바꾸는 것이 불가능하더라도 적어도 외면하지는 않는 것이 공부하는 사람의 태도라고 생각한 것이다.

공부를 해서 권력을 잡거나 돈을 많이 벌겠다는 것이 최종 목표인 우리들로서는 상상하기 어려운 목표다. 내 한 몸 챙기기도 어려워서 다 같이 잘 사는 세상은 감히 떠올릴 수 없는 게 현실이기도 하다. 하지만 처음부터 이렇게 된 것은 아니었다. 공자의 사상이 강력하게 사회를 지탱하고 있던 근대 이전에만 해도 일본은 물론 중국, 한국에는 나라를 구한다는 대의를 개인적인 이익보다 중요하게 생각하는 분위기가 있었다. 아주 어렸을 때부터 서당에서 『논어』와 같은 책들을 보고 예의, 정의 같은 가치들에 대해 자연스럽게 익혔던 영향도 있을 것이다. 그런데 근대에 들어서면서 공자의 사상은 고루한 것으로 취급받게 되었다.

이런 시대적 흐름 속에서 사람답게 살기 위한 가치를 지키기 위해 애쓰며 배운 것을 삶에서 실천하기란 쉽지 않다. 특히 일찍부터 돈과 경쟁에 노출되었던 어린 세대일수록 생명 존중, 정의, 정직함 같은 가치가 왜 중요한지 배울 기회가 거의 없었기 때문에 내면에 올바른 가치관을 심지 못했다. 더 늦기 전에 『논어』와 같은 고전을 배우고 평생 가까이 해 각 개인의 삶을 풍요롭게 만드는 것은 물론 한 사회의 정신적인 기둥까지 다잡아야 한다. 그렇지 않으면 각 개인의 삶과 우리 사회는 걷잡을 수 없게 피폐해질 것이다.

공자가 제자들에게
가르쳐준 세 가지 공부 원칙

원래 일본은 사교육에 대한 관심이 적은 편이었는데, 점차 입시 경쟁이 심해지면서 최근 들어 사교육 열풍이 불고 있다. 아이를 많이 낳지 않다 보니 학비가 조금 비싸더라도 명문 사립고등학교에 보내겠다는 부모들도 많아지는 추세다. 그래서인지 주변 사람들 중에도 잘 가르친다고 소문난 학원을 수소문해 먼 거리를 무릅쓰고 아이를 보내거나 실력이 좋은 선생님을 소개받아 고액의 개인 과외를 하는 사람들이 늘어나고 있다. 실력이 좋은 선생님을 만나기만 하면 성적이 오르는 것처럼 흘러가는 사교육 열풍이 걱정스럽기도 하지만 좋은 선생님을 만나 공부를 하고 싶다는 마음만큼은 이해가 가는 면도 있다.

그러고 보면 좋은 스승을 만나기 위해 시간과 정성을 들이는 것은 옛날에도 마찬가지였던 것 같다. 스승을 찾아 먼 길을 떠난 주인공이 여러 모험 끝에 스승을 만나고, 힘든 수련을 거쳐 영웅이 되는 이야기를 옛날이야기 속에서 흔히 접할 수 있으니 말이다.

그렇다면 '동양의 사상을 이끈 스승'이라고 존경받는 공자는 과연 어떤 스승이었을까? 공자는 특히 제자가 많은 것으로 유명하다. 그는 나이나 출신, 재산 등과 상관없이 배우고자 하는 사람이라면 모두 제자로 받아들였다고 한다. 공자의 제자 가운데 뛰어난 사람만 꼽아도 70명이 넘고 각양각색의 개성을 가지고 있어 자로나 안회처럼 공자 못지않게 이름이 알려진 제자들도 있다. 먹고 자고 생활하며 제자들과 함께 살다시피 하면서 공자는 제자들에게 무엇을 강조하고, 어떻게 가르쳤을까? 공자가 제자들에게 강조했던 공부의 원칙을 통해 우리는 어떤 식으로 공부를 해야 할지 그 힌트를 찾아보자.

1. 스스로 공부하라

공자가 제자들에게 강조했던 첫 번째 원칙은 바로 '스스로 공부하라'였다. 좋은 선생님과 동료들을 만나 거침없이 서로의 생각을 나누며 공부하는 것도 의미가 있지만, 결국 중요한 것은 '공부하는 사람이 얼마나 치열하게, 스스로의 힘으로 공부하느냐'라는 것이다.

"스스로 분발하지 않으면 알려 주지 않고, 스스로 답답해하지 않으면 말해 주지 않는다. 네 귀퉁이 가운데 하나를 보여 주었는데 나머지 세 귀퉁이를 스스로 깨닫지 않으면 다시 가르쳐 주지 않는다."
"스스로 어찌할까 어찌할까 생각하지 않는 사람은 나도 어떻게 할 수 없다."

공자는 공부하는 사람 스스로 학문을 좋아하고 하나라도 더 알기 위해 노력해야 그다음 단계로 갈 수 있도록 도와줄 수 있지, 그렇지 않다면 가르쳐 줄 필요도 없다고 생각했다. 하나를 가르쳐 주었다고 하나밖에 공부하지 않으면 아무 소용이 없다는 것이다. 좋은 스승이 일일이 가르쳐 주는 것은 한계가 있다. 거기에서 한 단계 더 뛰어 넘으려면 공부하는 사람이 활발히 살아 있는 상태로 스스로 공부하고 깨달아야 함을 항상 강조했다.

그래서 아끼던 제자 염유가 "선생님의 가르침을 좋아하지 않는 것은 아니지만 능력이 부족합니다"라고 말을 했을 때 "능력이 부족하다면 중간에 그만두었을 것이다. 그런데 너는 스스로 한계를 긋고 있구나"라는 말로 깊은 실망을 드러냈다. 만약 열심히 노력했는데도 상황이 따라 주지 않아서 공부를 할 수 없었다면 모르겠지만 그게 아닌데도 공부를 못하겠다는 핑계를 대니 스승으로서는 실망스러울 수밖에 없었던 것이다.

2. 정답을 찾으려 하지 말고 자신만의 답을 찾아라

뛰어난 스승 밑에서 공부를 하고 있다면 공부를 할 때 스스로 답을 찾으려 노력하지 않고 스승에게 직접 질문해서 쉽고 간단하게 정답을 얻고 싶은 것이 사람 마음일 것이다. 그러나 공자는 제자들에게 명쾌하고 정확하게 답을 주는 것은 고사하고 똑같은 질문에도 질문한 사람에 따라, 상황에 따라 다른 대답을 했다.

예를 들어 『논어』를 보면 제자 번지는 '인'에 대해 총 세 번이나 질문을 던졌다. 그런데 공자의 대답은 이런 식이다.

> "인이라는 것은 남보다 먼저 어려운 일을 하고, 얻는 것은 남보다 나중에 하는 것이다."

"평소 행동을 공손하게 하고, 맡은 일을 정성껏 하며, 사람과
사귈 때 진실한 마음으로 대해야 한다."

"사람을 사랑하는 것이다."

4개 중에 하나의 답만 골라내야 하고, 서술형 문제도 외워서
쓰는 것에 익숙한 지금의 학생들에게 이런 식으로 답을 했다간
"지금 장난하는 거냐, 왜 대답이 매번 다른가"라는 항의를 받을
게 틀림없다.

하지만 공자는 하나의 정답이란 없으며 중요한 것은 자신만
의 답을 찾는 것이라고 생각했다. 공자가 평생 동안 공부한 '인',
'예'와 같은 가치들은 한마디로 설명할 수 없는 것들이고, 어떤
상황이냐에 따라 적합한 행동이라는 것이 매번 달라질 수밖에
없다. 사람에 따라 다르게 해석할 수 있는 여지도 굉장히 많기
때문에 사실상 언제나 통하는 하나의 답이라는 게 없는 것이다.
그래서 공자는 스스로 생각해서 상황에 맞는 답을 찾는 공부를
해야 한다고 여겼고, 사람에 따라 같은 질문에도 다른 대답을 하
며 제자 스스로 왜 그런 답을 들었는지를 다시 한 번 생각해 보
길 유도했다.

또 이런 이야기도 있다. 제자 자로와 염유가 공자에게 "배운

것이 있으면 바로 실행에 옮겨야 합니까?"라는 똑같은 질문을 던졌다. 그런데 자로에게는 "부모님과 형제가 있는데 어떻게 바로 실행에 옮기겠느냐"라고 답한 반면 염유에게는 "바로 실행에 옮겨야 한다"라고 답했다. 다른 제자가 왜 같은 질문에 다르게 대답했는지를 묻자 공자는 이렇게 답했다. "염유는 소극적이기 때문에 적극적인 태도가 필요하다. 자로는 너무 나서기 때문에 절제가 필요하다."

공자는 제자들의 성향이 제각각 다르기 때문에 각자의 성향에 맞는 다른 답을 주어야 한다고 생각했다. 아무리 옳은 답이라고 해도 받아들이는 사람에 따라 다르게 생각하고 행동할 수 있기 때문이다. 특히 '어떻게 살 것인가'와 관련된 문제는 더더욱 그럴 것이다. 사람마다 성격, 생각, 성향이 모두 다르고 다 똑같이 살 수 없으니 인생의 목적과 방향에 대한 답도 다를 수밖에 없다. 그런데도 우리는 어딘가에 단 하나의 정답이 있을 거라고 믿고 그것을 찾기 위해서만 힘쓰니 공자가 보았다면 답답해했을 일이다.

3. 모르는 것을 부끄러워하지 마라

가끔 수업을 하다 학생들이 내가 모르는 부분을 질문할 때가 있다. 솔직히 그럴 때면 식은땀이 절로 난다. 처음에는 내가 잘 모른다는 사실이 탄로 나면 안 될 것 같아서 어떻게든 설명을 해보려고 애썼다. 하지만 그게 잘 될 리가 없으니 횡설수설하기 일쑤다.

공자는 제자들이 질문을 던졌는데 모르는 것이 있다면 어떻게 했을까? 그는 자신이 모른다는 사실을 부끄러워하지 않고 정직하게 말했다. 어느 날 제자 자로가 "사람이 죽으면 어떻게 됩니까?"라고 물었을 때 "삶을 잘 알지 못하는데 어떻게 죽음에 대해 알 수 있겠느냐"라고 말한 것이다. 그는 자신이 알 수 없는 것을 아는 척하지 않았고, 죽음이라는 분야에 대해서는 섣불리 알려고 덤벼들지도 않았다. 이 말에는 알 수 있는 것을 배우는 데 힘쓰겠다는 공자의 의지와 스승일지라도 모르는 것은 모른다고 인정하는 용기가 담겨 있다.

그래서 어떤 주제든지 제자들과 자유롭게 질문을 하고 토론하며 함께 공부했다. '내가 스승이니 모든 것을 알고 있다'고 생각하는 게 아니라 자신도 배우는 사람이니 제자들의 의견을 귀담아 들어야 한다는 겸손을 잃지 않았다. 예를 들어 공자가 반란을 일으킨 사람과 같이 일해야 하는 것은 아닌지 고민할 때 제자 자로는 "하필이면 왜 그런 사람에게 가시려는 겁니까?"라는 말로 공

자를 말렸다. 그러면서 왜 그와 일하면 안 되는지 거침없이 이야
기한다. 이런 대화를 보면 공자와 제자들은 예의를 다하면서도
자유롭게 의견을 개진했다는 것을 쉽게 유추할 수 있다.

공자는 언제나 제자들에게 더 적극적이고 능동적인 태도를 요
구했다. 스승인 자신이 틀렸다고 생각될 때는 주저없이 반대 의
견을 이야기할 수 있도록 했고 그 자신도 제자들의 이야기에 늘
귀를 기울였다. 그렇게 서로의 고정된 생각을 깨뜨리고 끊임없
이 새로운 것을 깨달아 가는 공부를 하고자 했다. 스승과 함께
공부하는 것보다 중요한 것은 스스로의 힘으로 공부해 나만의
답을 찾는 것이라고 생각했기 때문이었다.
아무리 뛰어난 스승을 만나도 스스로 공부하지 않으면 아무
의미가 없다. 그 사실을 잊지 않는 한, 당신의 공부가 실패할 일
은 없을 것이다.

소크라테스의
생각법

—

'생각하고 의심하고
다시 생각하라'

생각하지 않는
사람은 위험하다

제2차 세계대전 중에 유대인 600만 명을 학살하도록 지휘한 장교 아돌프 아이히만을 아는가? 그는 전쟁이 끝난 뒤 체포되어 재판에 부쳐졌는데 자신의 행동은 "단지 명령에 따른 것 뿐"이라며 무죄를 주장했다. 그가 학살 명령을 내린 것도 아니고, 그 일을 자처하지도 않았으니 억울하다는 것이다. 그의 논리대로라면 그는 자신에게 내려진 명령을 충실히 따랐던 성실한 관료였을 뿐이다. 그렇다면 그는 정말 잘못이 없는 것일까?

그의 잘못은 이것이다. '생각하지 않은 것.' 자신에게 주어진 명령이 어떤 의미인지, 무고한 유대인을 단지 명령이라는 이유로 무조건 죽이는 것이 옳은지 비판적으로 생각하지 않았다. 어떤 한 개인이 무심코 '비판적으로 생각하기'를 포기하지 않았더라면 수많은 사람들이 어이없는 죽임을 당하는 결과는 오지 않았을지도 모른다. 그래서 철학자 한나 아렌트는 "삶에서 사유란 하지 않아도 상관없는 권리가 아니라 반드시 수행해야 할 의무"라고 말했다.

당신은 생각하며 살고 있는가?

오늘 아침 신문에서 어떤 기사를 읽고 그 기사가 진실을 다루고 있는지, 허점은 없는지 질문을 던져 보았는가? 내가 지금 하는 일이 내가 속한 조직에서는 어떤 의미인지 알고 있는가? 월급이 올랐다며 자랑하는 친구가 부러울 때 '나는 왜 돈을 많이 버는 친구가 부러울까? 돈이 많으면 행복하다고 생각하는 것인가?' 하고 따져 본 적이 있는가? 아마 이 질문에 "네"라고 대답할 수 있는 사람은 많지 않을 것이다. 대부분의 사람들이 신문에 실린 기사는 객관적인 진실을 담고 있다고 간주해 버리고, 그저 내게 주어진 일이니까 일을 한다. 돈을 많이 버는 것이 나에게 진정 행복을 가져다주는 일인지 따져 보지 않는다.

우리는 우리가 많은 시간을 '생각하며' 보낸다고 믿지만, 대부분 그 시간은 비판적으로 생각하는 시간이 아니라 공상을 하거나 과거의 일을 반추하는 정도에 불과하다. 실제로 우리가 비판적으로 생각하고 논리적으로 따져 보는 시간은 얼마 되지 않을 것이다.

그게 정말 당신의 생각입니까?

철학자 소크라테스가 서양 철학의 스승으로 인정받는 것은 비판적으로 생각한다는 것, 즉 철학적으로 사유하는 것의 의미를 일깨워 주었기 때문이다. 그는 아테네 광장에서 친구든, 낯선 사람이든 지나가는 사람을 붙잡고 인생의 의미나 당시 소중하게 생각하던 가치들에 대한 질문을 던졌다.

소크라테스는 많은 사람들과 대화를 나누면서 스스로를 지혜롭다고 여기는 사람들이 사실은 자기가 무엇을 모르는지도 모른다는 점을 알아차렸다. 그들은 남들이 생각하는 대로 생각하고 있을 뿐이며 그렇다 보니 어디서부터 어디까지가 내 생각인지, 모르는 게 무엇인지 알지 못했다.

소크라테스는 자신이 다른 사람보다 지혜롭거나 똑똑한 것은 아니지만 조금 더 나은 점이 있다면 적어도 '나는 내가 무지하다는 사실을 알고 있다'는 것이라고 생각했다. '모른다'는 자각이야말로 생각하고 배우는 일의 시작이기 때문이다. 그래서 그는 사람들의 무지를 일깨워 주고 스스로 생각하는 힘을 길러 주는 것이 자신이 해야 할 일이라고 생각했다.

"자신은 다 알고 있다고 속이지 마라."
"모르는 것은 모른다고 정직하게 말하고 여기까지는 알지만 그 이상은 모르겠다는 것을 분명히 밝혀라."

이렇게 공부를 시작하기에 앞서 모르는 부분을 정확히 밝힌다면, 공부의 방향과 목적을 훨씬 더 정확하게 잡을 수 있다. 다시 말해 모르는 것이 무엇인지를 아는 것이 모든 공부의 시작이자, 기본이라는 말이다.

사람들은 자신이 믿고 있는 어떤 사실이 자신의 머릿속에서 논리적인 과정을 통해 도출된 '생각'이라고 생각하지만 사실 그렇지 않은 경우가 대부분이다. 우리는 사회에서 관습적으로 통용되는 생각을 자신도 모르게 체화하고 있으며, 우리 뇌가 생각하기 편한 대로 기억을 바꾸는 것을 알아차리지 못한 채 엉뚱하게 기억하고, 순전히 감정에 따라 편파적인 판단을 내리기도 한다. 그래서 "지금 이 생각이 정말 옳은 것인가?"라는 질문을 던지며 하나하나 따지고 들어가야 '자신의 생각'이 누구나 동의할 수 있는 '보편적이고 논리적인 답'이 아니라는 것을 깨닫게 되고, "그게 정말 당신의 생각인가?"라고 근거를 파헤쳐야 자신이 기존의 생각들을 무비판적으로 받아들이고 있다는 것을 알게 된다.

'내가 안다고 생각하는 것이 정말 아는 것인가, 내가 의심 없이 믿어 온 것에 문제는 없는가'라는 질문을 던지는 것은 굉장히 피곤한 일이기는 하다. 사실 지금까지 생각한 대로 산다고 해서 당장 큰 문제가 생기는 것도 아니다. 그저 살아온 대로 사는 게 더 편한 방법일지도 모른다. 하지만 생각하기를 포기하는 순간, 우리는 자신도 모르는 사이에 명백한 오류를 의심 없이 찬성할지도 모른다. 그리고 나중에 문제가 생겼을 때 어디서부터 잘못된 것인지를 판단하고 해결법을 찾아갈 힘을 잃게 된다.

플라톤의 『메논』이라는 작품에는 돈이 많은 귀족 메논과 소크라테스의 대화가 실려 있다. 메논은 덕이 높은 사람이 되려면 부자여야 한다고 주장한다. 이 논리대로라면 가난한 사람은 덕이 높은 사람이 될 수 없다. 이때 소크라테스는 "황금을 구입하는 것이 정당하지 못한 상황이었다면 황금을 가지고 있지 않은 것 자체가 미덕이 되는 것 아닌가?", "그렇다면 부를 축적했다고 무조건 존경할 만한 사람, 덕이 있는 사람이라고 판단한 것은 틀린 것이 아닌가?"라는 질문들을 던진다. 이 질문에 답을 하는 동안 메논은 부유한 사람을 존경할 수는 있지만, 그렇게 하기 전에 어떻게 부를 축적했느냐를 따져 봐야 한다는 것을 깨닫는다.

사실 메논의 논리는 지금 우리도 쉽게 빠지는 오류 중에 하나다. "돈을 많이 벌은 것을 보니 그만큼 능력도 좋고 성격이 좋은가 보지"라는 말을 하기도 하고 "나쁜 방법으로 돈을 벌었더라도 좋은 일에 쓴다면 그런대로 괜찮은 것 아닌가?"라는 식의 말을 쉽게 하니 말이다. 하지만 이런 논리에 순응하는 순간 가난한 것은 개인의 능력이 부족하기 때문이며, 어떤 식으로 벌든 돈을 많이 벌 수만 있다면 상관없다는 생각에 빠지게 된다. 이렇게 되면 '돈을 많이 벌었다'라는 현상에만 주목해 본질을 명확하게 볼 수 없고 가진 사람과 못 가진 사람들이 서로를 이해하지 못하게 된다.

나 자신의 삶과 행복 역시 생각하는 힘에 달려 있다. '돈을 많이 벌수록 행복하다', '남들 사는 것처럼 가족을 꾸려야 진짜 행복해질 수 있다', '착한 사람은 타인의 부탁을 거절하지 않는다'와 같은 생각들을 내가 진짜 원하는 것인지, 내가 정말 행복해지는 길인지 생각해 보지 않은 채 받아들이려고 할 때 얼마나 괴로워지는지 당신도 알고 있지 않은가. '왜 나는 사람들이 생각하는 대로 생각하는 거지? 그게 정말 나의 행복과 관련이 있을까?'라고 질문을 던져 보아야 한다. 그렇지 않으면 행복해지기는커녕 후회와 분노만 가득 찬 인생을 살게 될 수 있고, 심지어 자신의 불행이 어디에서부터 비롯되었는지 깨닫지 못할 수도 있다.

하루에 한 번, 소크라테스처럼 생각하기

소크라테스가 사람들과 대화를 한 내용을 쓴 『향연』, 『국가』 등을 보면 질문을 주고받으며 문제를 해결하는 과정을 그대로 보여 주는데, 소크라테스가 나서서 어떤 지혜를 알려 주지는 않는다. 소크라테스 본인 스스로도 누군가를 가르친 적이 없다고 말한다. 그가 사람들에게 가르친 것은 '스스로 생각하는 법'이었다. 그래서 자신을 산파에 비유하며 사람들이 원래부터 가지고 있던 지혜를 발견할 수 있도록 옆에서 도와주는 사람일 뿐이라고 말한 것이다.

'진리란 무엇인가' 혹은 '죽음이란 무엇인가'와 같은 질문에 대해서 소크라테스가 알고 있는 것은 없었다. 단지 아무런 의심 없이 일상적으로 믿고 있던 것들을 하나하나 따져 보고 철학적인 차원으로 다시 생각해 보도록 이끌어 준 것이 전부다. 소크라테스는 이런 배움을 바탕으로 더 행복한 삶을 살 수 있다고 믿었다.

우리는 학교를 다니며 소크라테스가 상상할 수도 없을 만큼 광범위한 지식을 배웠고, 아마 그가 아는 것보다 더 많은 것을 알고 있을 것이다. 그러나 정작 생각하는 힘을 기르지는 못했다. 정해진 답만 있는 찾는 공부, 암기를 해서 답을 찾는 공부에만 치우쳤기 때문이다. 계속 이렇게 산다면 생각하는 힘은 점차 약해지고, 우리가 무비판적으로 믿는 사실에 끌려 다니게 될 것이다. 그게 정말 옳은 것인지 혹은 내가 정말 행복해지기 위한 길인지 제대로 알지 못한 채 말이다.

우리가 소크라테스처럼 철학자가 되어 '더 행복하게 살려면 어떻게 해야 할까?', '올바르게 살려면 어떻게 해야 할까?'를 평생 고민하며 살기는 어려울 것이다. 그렇지만 이런 것은 어떨까? 내가 해야 할 일과 이루고 싶은 목표 사이에서 정신없이 살다 보면 이 길이 맞는 것인지 질문을 던지기보다는 주어진 길에 순응하며 따라가게 된다. 그러니 소크라테스처럼 잠깐씩 멈춰서서 질문을 던지고 생각해 보자는 것이다. 하루에 한 번이면 충분하다. 소크라테스처럼 생각해 보자.

세상에 어리석은 질문은 없다

학교에서 수업을 할 때 마지막으로 항상 하는 말이 "어떤 내용이든 좋으니 자유롭게 질문해 보세요"이다. 그런데 질문하는 사람이 거의 없다. 처음에는 '그런가 보다' 하고 넘겼는데, 수업을 하는 동안 설명이 부족했던 부분이 있다 싶은 날에도 질문하는 사람이 없다. 내 생각에는 분명 설명이 부족했던 부분에 대해 질문하는 사람이 있어야 하는데 말이다. 그래서 몇몇 학생들에게 왜 질문을 하지 않느냐고 물어보면 "수업의 모든 내용을 잘 이해했습니다. 그래서 질문할 게 없습니다"라는 식으로 말을 한다.

여기서 질문할 게 없다는 것은 곧 수업을 듣는 동안 생각하지 않았다는 의미다. 선생이 하는 말에 논리적으로 오류는 없는지 검토하고, 수업의 내용을 제대로 이해했는지 확인하고, 내 생각과 다른 점은 무엇이며 그게 혹시 잘못된 논리는 아닌지 점검하려면 질문을 던져야 한다. 수업 시간 내내 선생님이 하는 말을 열심히 듣고 필기를 하는 것에서 끝나 버리면 안 된다. 그렇게 공부한 것은 일방적으로 암기하는 것에 불과해서 시험을 보고 나면 머릿속에서 금세 사라져 버린다.

질문에는 내가 생각하는 과정이 담겨 있으며 질문에 답을 하는 동안 논리를 점검해 생각하는 힘을 키울 수 있다. 그래서 소크라테스가 대화와 토론을 통해 사람들을 배움의 길로 이끌었을 때 그 중심에 '질문'이 있었던 것이다.

질문하는 사람, 소크라테스

소크라테스의 제자 플라톤이 쓴 『향연』을 보면 '에로스(사랑)란 무엇인가'에 대해 소크라테스와 동료들이 술을 마시며 차례로 연설하고 토론하는 장면이 나온다.

여기에 등장하는 인물 중 아가톤이라는 인물이 에로스에 대해 마지막으로 연설하는데, 에로스는 가장 아름답고, 선하며, 훌륭한 것으로 에로스는 우리가 갖고 있지 못한 것을 사랑하고, 갖고 있는 것은 사랑하지 않는다고 주장한다. 이 말을 들은 소크라테스는 아가톤에게 몇 가지 질문을 던지며 토론을 펼친다.

1. **질문법 1단계** : 상대방의 주장이 어떤 내용인지 확인하는 질문을 던지고 동의를 얻는다.

> **소크라테스** : 지금까지의 이야기에 따라 정리하면, 에로스는 우리는 갖고 있지 못한 것을 사랑하고 갖고 있는 것은 사랑하지 않는다네. 이것이 필연이라고 생각되네만, 자네는 어떤가?
> **아가톤** : 저도 그렇게 생각합니다.

2. **질문법 2단계** : 상대방의 주장이 가진 논리적인 틈새를 파고드는 질문을 던진다.

> **소크라테스** : 자네는 '에로스는 아름다운 것들에 대한 사랑이다. 추한 것들에 대한 사랑은 있을 수 없다'라는 취지의 말을 했네. 앞서 우리가 나눈 이야기에 따르면 에로스는 아름다움을 가지고 있지 않네. 에로스는 가지고 있지 않은 것을 사랑하니

까 말이야.

아가톤 : 그렇습니다.

소크라테스 : 그렇다면 아름다움을 가지고 있지 않은 에로스를 아름다운 것이라고 찬양할 수 있을까?

소크라테스의 질문 하나로 인해 아가톤은 '에로스는 가장 아름답고 선하여 훌륭하다'는 자기의 주장이 모순되어 있음을 깨닫게 된다. 그래서 "소크라테스여, 조금 전 내가 한 말은, 나 스스로도 무슨 말인지 도대체 알 수 없는 것인지도 모릅니다"라는 말로 자신의 무지와 혼란을 토로하게 된다.

이 대화를 보면 소크라테스는 에로스에 대한 자신의 생각을 이야기하지 않는다. 아가톤의 발언으로 '멍석을 깔아 놓은 자리'에 참여해 "자네의 논리대로라면 에로스는 이렇게 되겠지"라는 이야기를 하며 아가톤의 생각을 이끌어 줄 뿐이다. 그리고 중간중간 논리적인 필연에 따라 "이건 이렇게 되는 게 아닌가?"라는 질문을 던진다.

아가톤은 소크라테스의 논리에 따라 자신이 한 말을 돌이켜 보고 논리적으로 문제가 있음을 충분히 납득한다. 에로스에 대한 지식이 있는지 여부는 여기서는 문제가 되지 않는다. 논리가 제대로 되었는지, 질문을 옳게 하고 있는지 등의 사항을 서로 확인할 뿐이다.

질문을 던지는 것 자체가 중요하다

소크라테스의 이야기를 따라가다 보면 "아니, 그래서 결론이 뭐야?"라는 질문을 던지게 된다. 일반적인 대화 양상에 비추어 보면 결론 없이 대화가 끝나 버렸고, 문제는 해결되지 않고 그대로 남아 있는 것처럼 보이기 때문이다. 이렇게 해결되지 않고 끝난 문제, 이것을 '아포리아'라고 한다. 그리스어로 '통로가 없다'는 뜻이다.

그러나 소크라테스에게 중요한 것은 해답을 찾는 것이 아니라 진리를 추구하는 과정 그 자체에 있었다. 즉 우리가 무심코 말하는 생각, 으레 그러려니 하고 넘기는 문제들에 대해 '문제의식'을 가지고 질문을 던지는 것이 중요하다고 생각한 것이다. 여기에 답을 찾든 못 찾든 이렇게 저렇게 생각해 보면서 답을 구하려는 '의지'가 더해졌을 때 거기에서부터 생각하는 힘이 길러진다고 보았다. 질문을 던짐으로써 스스로 생각을 하게 되고, 그게 배움의 시작인 것이다. 그래서 자신의 생각이 잘못되었음을 발견한 사람들이 혼란에 빠졌을 때 "하지만 자네의 이야기하는 태도는 참으로 훌륭했네"라는 말로 의지를 북돋아 주고 생각하기를 멈추지 않기를 독려했다.

생각하는 힘을 키우고 싶다면 먼저 의식적으로 질문을 던지는 연습을 해 보자. 여럿이 모인 자리에서 질문을 던지는 것이 부끄럽다면 혼자서 책을 읽을 때 머릿속에 떠오른 질문들을 간단하게 메모하는 것에서부터 시작하는 것도 좋다. 내가 제대로 읽었는지 사실을 확인하는 수준의 질문보다는 내 삶의 문제 혹은 내 생각과 연결 지어 생각해 보고 질문을 던지는 것이 생각하는 힘을 기르는 데 도움이 된다.

그리고 무의식적으로 당연하게 받아들인 내용에 대해 '과연 그럴까?', '왜 그럴까?'라는 질문을 한 번씩 던져 보라. 이런 질문을 던지는 것만으로도 틀에 박힌 사고에서 조금이라도 벗어날 수 있다.

유대인은 전 세계 60억 인구의 0.2퍼센트에 불과하고, 나라가 없어 떠돌아다니는 삶을 살고 있다. 그렇지만 역대 노벨상 수상자 가운데 30퍼센트가 넘는 비율을 차지하고 있으며 세계에서 가장 지혜로운 민족이라는 평을 듣는다.

그런 유대인들이 아이가 학교에서 돌아오면 제일 먼저 하는 말이 "오늘 선생님께 무슨 질문을 했니?"라고 한다. 학교에서도 좋은 질문을 하는 학생이 훌륭한 학생으로 평가받고, 학급의 리더가 된다. 일방적으로 지식을 가르치는 것이 아니라 토론과 질문으로 스스로 묻고 스스로 답하며 공부하는 것을 더 중요하게 생각하는 것이다. 이런 과정을 통해 아이들은 생각하는 법과 다른 사람들과 소통하는 법을 배운다. 유대인이 지혜로운 민족이라는 평을 듣는 것은 여기에서부터 시작하는 것이 아닐까.

생각의 힘을 키우는
소크라테스식 토론법

미국 동부의 뉴햄프셔 주에 있는 필립스 엑시터 아카데미는 아이비리그 진학률이 높은 명문 사립고등학교로 통한다. 이 학교는 일명 '하크니스 테이블(harkness table)'이라고 불리는 큰 원형 탁자에서 수업을 진행하는 것으로 유명하다. 이 이름은 1930년 미국의 석유 재벌 에드워드 하크니스가 이 학교에 거액의 장학금을 기증하면서 창의적인 수업을 할 수 있도록 수업 방식을 바꾸어야 한다고 말한 데서 비롯되었다. 학교는 그의 뜻에 따라 원탁형 테이블을 도입하고 토론식 수업으로 수업 방식을 바꿨다.

교사와 학생 12명은 이 원형 탁자에 둘러앉아 모든 사람이 서로의 얼굴을 보며 질문을 던지고 자유롭게 의견을 말하며 수업을 한다. 흔히 수학 공부는 혼자 문제를 풀면서 공부하는 것으로 생각하는데, 이 학교는 수학은 물론 과학, 문학 시간에도 토론식 수업을 할 정도로 토론이 수업에서 큰 비중을 차지한다. 필립스 엑시터 아카데미가 창의적이고 똑똑한 학생들을 키워 내는 세계 최고의 명문이 될 수 있었던 것은 이 토론식 수업 덕분이며, 미국의 많은 학교들이 필립스 엑시터 아카데미를 따라 토론식 수업 방식을 도입하고 있다고 한다.

처음 이 학교에 대한 이야기를 들었을 때, 옛날 소크라테스가 사람들과 함께 대화하던 모습과 굉장히 비슷하다는 생각이 들었다. 소크라테스는 원탁형 테이블만 없었다 뿐이지 길 위의 광장이라는 열린 공간에서 지나가는 사람과 자유롭게 토론했다. 소크라테스식 공부법은 여럿이 함께 모여 자유롭게 질문하고 답하는 토론으로 시작해서 토론으로 끝난다고 해도 과언이 아니다.

모든 이가 함께 공부할 수 있는 최고의 공부법, 토론

토론은 질문을 하고 답하는 식으로 진행되기 때문에 생각하는 힘을 키우는 데 매우 효과적이며, 여러 사람이 함께 소통하며 지식을 나눌 수 있는 장점을 가지고 있다. 또한 혼자 공부할 때 빠질 수 있는 함정이나 독단에서 벗어날 수 있게 해 주고, 참여자들이 자극을 주고받으며 공부에 대한 열정을 키울 수 있다. 만약 제대로 진행될 수만 있다면 토론은 참여하는 사람 모두에게 최고의 결과를 가져다주는 효율적인 공부법이 될 수 있을 것이다.

그런데 막상 학교나 회사, 혹은 여러 사람이 모인 자리에서 토론이 제대로 진행되는 경우가 별로 없다. 왜 그럴까? 여러 가지 이유가 있겠지만 가장 큰 이유는 지금 우리가 가지고 있는 토론에 대한 인식 자체가 소크라테스식 토론과는 많이 다르기 때문이다.

보통 우리가 흔히 접하는 TV 토론을 보면 어떤 결론이 이미 자기 안에 있고 자신이 더 옳다는 것을 주장하는 식으로 전개된다. 그러나 이런 토론은 소크라테스식의 토론이 아니며 변증법적인 발전이 없는 일방적인 설명에 불과하다. 상대의 의견을 들으려고 하지도 않는다. 상대로부터 어떤 자극을 받아 자신의 생각이 달라지는 일은 상상도 할 수 없다. 대화를 지켜보는 사람이 각각의 논리를 살펴볼 수 있다는 점에서는 공부가 되겠지만 대화를 통해 생각이 전개되거나 창조적인 아이디어가 탄생하지는 않는, 즉 배움이 생기지 않는 대화이다.

그렇다면 소크라테스식 토론은 어떻게 해야 할까? 각자 자신의 생각만 내세우느라 대화가 되지 않는다는 답답함을 주는 토론이 아니라 스스로 탐구하고 생각하는 힘을 키울 수 있게 만드는 토론을 하고 싶다면 지켜야 할 원칙은 무엇이 있을까?

1. 토론은 누구에게나 열려 있는 평등한 활동이다.

소크라테스는 '길 위의 철학자'라는 별명을 가지고 있었는데, 이것은 그가 광장이나 길거리와 같이 누구에게나 열려 있는 공간에서 친구, 동료 철학자, 지나가는 사람 등 자신과 대화하기를 원하는 사람이라면 누구든 가리지 않고 함께 토론하며 철학을 논했기 때문이었다. 즉 소크라테스에게 토론은 누구나, 어떤 생각을 가졌든 발언할 기회를 가진 열려 있는 대화였다.

참석한 사람은 모두 대등하며 설령 소크라테스처럼 주위에서 존경을 받는 인물이 그 자리에 참여한다고 해도 마찬가지다. 참가자의 개인적 배경이나 신분은 완전히 무시하고 대등하게 토론의 일원이 되기 때문에 갑자기 지나가는 사람도 토론에 참여할 수 있고, 아는 것이 아무 것도 없는 사람도 대화에 끼어들 수 있다. 오히려 그 자리에 있으면서 방관자처럼 계속 보고 있기만 하는 사람은 "왜 자네는 거기 있는 거지?", "왜 지성이라는 것을 동원해서 적극적으로 토론하지 않는 거지?", "자네는 왜 선이 곧 진리임을 추구하는 이 원대한 도전에 참가하지 않는 거지?"와 같은 질문을 던져서 참여를 독려했다.

그런데 회사에서 토론을 하는 것을 지켜보면 말로는 "누구에게나 발언권이 있다"라면서도 나이와 직급을 철저하게 배제하지 못한다. 똑같은 의견을 말해도 부장의 발언과 신입 사원의 발언을 받아들이는 자세가 다르다. 누구에게나 똑같은 무게의 발언권이 있다고 생각하고, 토론에 적극적으로 참여하지 않으면 무례한 것으로까지 여겨지던 고대 그리스에 비하면 우리의 토론 문화는 매우 소극적이고 폐쇄적이다. 참여한 사람 누구나 대등하게 토론에 참여할 수 없다면 토론의 의미가 퇴색된다는 것을 잊지 말아야 한다.

2. 이성과 논리를 바탕으로 자신의 주장을 펼쳐야 한다.

토론에 참여하는 사람은 자신이 가진 이성적인 능력을 최대한 발휘해야 한다. 일관되게 정리한 언어로 논리적으로 주장을 펼치고, 상대방의 주장 역시 철저히 논리적인 면에서 비판적으로 검토해야 한다는 말이다. 상대방을 설득하는 데 감정이나 편견, 관습적인 생각이 동원되어서는 안 된다.

사람들이 제대로 된 토론을 하기 어려운 이유가 논리가 아닌 감정을 내세우기 때문이다. 토론을 하다 마음에 들지 않거나 내 의견을 비판하고 있다는 생각이 들면 기분 나빠 하면서 상대의 인격이나 과거사를 들춰서 비난한다. "도대체가 너는 평소부터 태도가 나빠", "몇 년 전에 이랬지, 아닌가?", "…그러니까 신뢰할 수가 없어" 같은 말을 하면 토론이 되지 않는다.

만약 감정을 앞세우거나 편견을 바탕으로 논리를 전개하려고 한다면 왜 그런 행동을 하는지 짚고 넘어가야 한다. 아마 소크라테스가 그 자리에 있었다면 왜 감정이나 편견에서 벗어나지 못하는 것인지, 그렇게 함으로써 발생하는 문제는 무엇인지를 밝혀내려고 하지 않았을까. 그 과정 속에서 우리는 비이성적인 방법으로 생각하는 것을 경계하고 올바르게 생각하는 힘을 키울 수 있다. 뿐만 아니라 논리적이고 이성적으로 진행되어야 할 토론이 비논리적이고 감정적으로 진행되는 것을 막을 수 있다.

3. 토론은 승부를 겨루는 게임이 아니다.

우리가 토론을 하는 과정을 자세히 보면 상대방의 말은 듣지도 않고 오로지 자기 의견만 내세우면서 한마디라도 덜 하면 지는 것처럼 달려드는 경향이 있다. 그 토론을 지켜보는 사람 역시 '지금 A의 논리가 우세하군'이라거나 'A의 논리가 더 체계적이다'라는 식으로 토론의 내용을 평가하려고 한다. 즉, 토론을 통해 어떤 논리가 틀렸고 맞았는지를 판명해야 하며 그 과정에서 승자와 패자가 나온다고 생각한다.

그러나 소크라테스에게 토론은 '승부를 겨루는 게임'이 아니었다. 물론 어떤 사람이 잘못된 논리로 주장을 펼칠 수 있지만 토론의 목표는 그것의 문제점이 무엇인지 함께 짚어 가며 비판적으로 생각하는 것이었다. 토론은 논리를 지적한 사람이 '이겼다'라는 식으로 끝나는 것이 아니다. 오히려 토론하는 과정이 한 사람에 의해 일방적으로 진행되는 것은 아닌지, 누구나 이해하고 동의할 수 있는 논리적인 과정에 근거를 두고 있는지 검토하는 것을 더 중요하게 생각했다.

그래서 『향연』에서 아가톤이 토론 말미에 "소크라테스여, 나는 당신의 의견에 반대할 수가 없습니다. 당신 말씀이 맞겠지요"라고 말했을 때 소크라테스는 "아니, 아가톤, 오히려 진리에 대해 반대할 수 없을 걸세. 소크라테스의 말에 반대하는 것은 전혀 어려운 일이 아닐 테니까"라고 답한다. 누가 옳고 그른지를 따지고, 나보다 지적 수준이 더 높은 사람 앞에서 항복하는 게 아니라 오로지 진리인가 아닌가의 영역에서 판단하는 것이 중요하다는 것이다.

동양에서는 경험과 나이를 존중하는 문화가 있어서 누구나 대등하게 토론에 참여한다는 것부터가 쉬운 일은 아니다. 당신 혼자의 힘으로 회사의 회의를 바꾸는 것은 불가능할지도 모른다. 그러나 학교나 회사에서, 심지어 친구나 아는 사람을 잠깐 만나 대화할 때도 소크라테스식 토론의 원칙을 잊지 않는다면 당신의 대화의 수준은 질적으로 달라질 것이다. 생각의 힘을 키우는 동시에 상대방이 가진 생각을 하나라도 더 이끌어 낼 수 있게 될 것이며, 그 과정에서 배우는 것이 무궁무진해질 것이다.

chapter 4

평생
성장하고 싶은
사람들을 위한
'사이토식' 공부법

평생 공부하게 하는
습관의 힘

지금까지 줄곧 공부하는 삶에 대해 이야기했지만 솔직히 말하자면 공부하는 삶을 사는 것은 분명 어렵다. 바빠서, 피곤해서, 공부보다 재밌는 일이 많아서, 공부를 해야 한다는 사실 자체를 깜빡 잊어서, 공부를 하겠다는 굳은 결심은 희미해진다. 배가 고프면 밥 생각이 나는 것처럼 공부를 할 때가 되면 공부 생각이 나야 할 텐데 그렇지는 않은 게 사람이다.

그렇기 때문에 처음에는 어쩔 수 없이 노력이 필요하다. 여기서 '처음에는'이라는 표현을 쓴 것은 일단 공부하는 습관을 들여놓으면 많은 노력을 기울이지 않아도 자연스럽게 공부하는 시점이 온다는 것을 의미한다.

자발적으로 되지 않을 때는 규칙을 만들어라

공부할 때 자기 나름의 규칙을 만들지 않으면 공부 습관이 몸에 배지 않을뿐더러 계획도 흐지부지 되기 쉽다. 그런데 많은 사람들이 '어떤' 규칙 하에 공부를 할 것인지 미리 생각해 보지 않은 채 무작정 공부에 덤벼든다. 그렇다 보니 예상치 못한 일이 생기거나 공부를 방해하는 일이 생겼을 때 어떻게 할 것인지 결정할 수 있는 기준이 없어 의지가 흔들리고 공부가 잘 되지 않는다.

대학에서 토론을 시켜 보면 선뜻 나서서 이야기를 하는 학생이 거의 없다. 그래서 '미리 써 온 에세이를 10분 동안 읽은 뒤 30초 이내에 모든 사람들이 돌아가면서 3분 동안 자기 의견을 말한다'라는 규칙을 정한다. 토론이 제대로 되지 않으니 사전 규칙을 먼저 만든 것이다. 그렇지만 이런 규칙을 정했음에도 몇몇은 자기 의견을 이야기하지 않거나 몇 분 동안 망설이며 머뭇거리느라 시간을 낭비한다. 특히 3분 동안 의견을 말하라는 규칙을 지키는 사람은 거의 없다.

시간을 정했다면 적어도 시계를 보면서 이야기를 하거나, 어떤 내용으로 말할지 몇 줄로라도 간단히 정리를 해야 한다. 그런데 아무도 시계를 볼 생각을 하지 않는다. 아예 처음부터 '3분'이라는 규칙 자체를 대수롭지 않게 생각하는 것이다. 하지만 내가 정한 규칙은 주어진 시간 동안 모든 사람이 자기 의견을 말하고 토론할 수 있는 시간을 고려한 것이기 때문에 제대로 지키지 않으면 토론은 엉망이 되어 버린다.

혼자 공부를 할 때도 마찬가지다. 언제 시간을 내어 어느 정도의 분량만큼 책을 읽고 공부할 것인지를 미리 정해 놓지 않는다면 공부를 하겠다는 결심은 금세 무용지물이 된다. 초심자일수록 게임의 규칙을 확실히 익혀 놓아야 실력이 늘고, 기본이 탄탄해진다.

매일 할 수 있는 쉬운 규칙이 좋은 규칙이다

내가 말하는 규칙은 아주 거창한 것이 아니다. 공부를 재미있게 하기 위해서, 쉽게 포기하지 않기 위해서 필요한 것이라면 어떤 것이든 좋고, 사소한 것이라도 상관없다. 특히 무작정 남들 하는 대로 나에게 맞지 않는 과도한 규칙을 세울 필요가 없다. 자기가 집중해서 공부할 수만 있다면 30분이든, 2시간이든 상관없다. 무리라는 걸 알면서도 괜히 욕심을 부려 일주일에 3번, 3시간씩 책을 읽겠다는 식으로 규칙을 세우지 마라. 차라리 매일 20분씩 책을 읽는 규칙을 세우는 것이 책 읽는 습관을 기르는 데 도움이 된다. 의지가 아무리 강해도 3시간은 어떤 사람에게든 부담스러운 긴 시간이다. 20분이라면 잠깐 시간을 낼 수 있는 자투리 시간이니까 부담이 적고, 실천하기도 쉽다. 규칙을 자꾸 반복해야 몸에 배서 습관이 되기 때문에 실천하기 쉬운 것부터 정해서 자꾸자꾸 반복해야 한다.

나는 책을 읽을 때 '반드시 1페이지 정도는 소리 내어 읽어 본다'라는 습관을 가지고 있다. 처음부터 이런 습관을 만든 것은 아니었고, 다자이 오사무의 소설 「직소」라는 단편을 읽으면서 우연히 얻게 된 것이다. 이 소설은 전체가 독백으로 이루어져 있어서 그냥 눈으로 읽으면 굉장히 산만하고 눈에 잘 들어오지 않는다. 예를 들면 이런 식이다.

"말씀드리겠습니다. 말씀드리겠습니다. 나리. 그 사람은 지독합니다. 지독합니다. 예, 정말 싫은 사람입니다. 나쁜 사람입니다."

처음에는 이 소설이 너무 지루하고 재미가 없어서 도대체가 진도를 나갈 수 없었다. 그래서 잠이라도 깨야겠다는 생각에 소리를 내서 읽어 보았는데, 눈으로만 읽을 때와는 전혀 달랐다. 작품의 맛이 확 살아나면서 순간적으로 소설의 내용에 감정이 이입됐고, 소설이 너무나 생생하고 재밌게 느껴졌다. 알고 보니

이 작품은 다자이 오사무가 직접 입으로 구술하고, 그것을 받아 쓴 것이라고 한다. 그래서 소리 내어 읽었을 때 그 매력을 십분 느낄 수 있었던 것이다. 시간이 어느 정도 지나면 재미있게 읽었던 책이라도 구체적인 내용이 헷갈리지만 이 경험은 내 기억 속에 강렬하게 남아 있다.

이 경험으로 나는 '책을 다 읽고 나면 가장 재밌었던 부분을 찾아 소리 내어 읽어 본다'는 규칙을 만들어 지키고 있다. 이렇게 함으로써 내가 미처 느끼지 못했던 재미를 느낄 수도 있고, 그 부분만큼은 생생하게 기억에 남는다. 어떻게 보면 사람들이 흔히 생각하는 '공부 습관'의 범주에는 벗어나 있는 독특한 습관이다. 나는 다만 이 방법이 나에게 잘 맞기 때문에 정한 것뿐이다. 즉, 중요한 것은 나에게 잘 맞는 규칙을 찾아 습관으로 만드는 것이다.

공부를 인생의 축으로 삼고 살고 싶다면, 그래서 인생을 변화시키고 싶다면 먼저 공부 습관부터 들여 놓자. 밥을 먹고 난 뒤에 이를 닦는 것처럼 공부가 자연스러운 습관이 될 때까지 조금만 의식적으로 노력을 해 두면 그 뒤로는 크게 노력하지 않아도 자연스럽게 몸이 먼저 움직인다.

책은 모든 공부의
시작이다

마이크로소프트 전 회장 빌 게이츠는 "오늘의 나를 있게 만든 것은 동네 도서관이었고, 하버드 졸업장보다 소중한 것이 책 읽는 습관이다"라는 말을 했다. 그의 '도서관 사랑'은 심지어 시애틀 교외에 있는 저택 안에 개인 도서관을 만들게 했다. 이 저택은 1,000평이 넘는 부지에 세워졌으며 체육관, 수영장, 개인용 극장 등을 포함하고 있는데, 여기에 1만 4,000여 권 이상의 책을 보관할 수 있는 개인 도서관을 지은 것이다. 그는 평소 주중에는 매일 1시간, 주말에는 3~4시간을 도서관에서 보낸다고 한다.

『자본론』을 쓴 칼 마르크스는 영국에 망명한 후 30여 년 동안 하루도 거르지 않고 대영박물관 도서관을 찾았다. 도서관이 문을 여는 오전 10시부터 문을 닫는 오후 6시까지 자신의 지정석이었던 'G-8'에 앉아 연구를 하고 책을 썼다. 『자본론』의 초안 역시 이 열람실, 자신의 지정석에서 썼다.

위의 글을 읽으며 빌 게이츠와 칼 마르크스의 공통점을 발견했는가? 그것은 바로 두 사람 모두 매일 도서관에서 시간을 보내며 공부를 했다는 것이다.

지금 당장 도서관에 가라

나는 두 사람이 자신의 분야에서 일가를 이룰 수 있었던 것은 바로 도서관을 집처럼 가까이했기 때문이라고 생각한다. 단지 '책을 많이 읽는 사람이었다'와는 다른 의미다. 독서는 집이나 학교에서, 출퇴근길에서도 할 수 있다. 반드시 도서관이 아니라도 어디에서나 할 수 있다.

그런데 도서관을 집처럼 가까이했다는 것은 공부를 얼마나 하든, 공부하는 환경에 노출되어 있었다는 것을 의미한다. 도서관이 어떤 곳인가. 수많은 책이 주변을 둘러싸고 있고, 책 속에 빠져들어 갈 것처럼 고개를 숙이고 열심히 공부하는 사람들이 곳

곳에 있다. 그런 분위기 속에서는 내가 잠시 마음이 해이해져도 다시 '공부를 해야겠다'는 의지를 다지기 쉽다. 내가 도서관의 책을 모두 읽을 수 없겠지만 지나가다 우연히 흥미를 끄는 책을 발견해서 한두 장 읽다 푹 빠지게 될 수도 있고, 공부가 너무 지겨워서 잠깐 딴생각을 하다가도 내 주변에서 열심히 공부하는 사람을 보며 '지지 않겠다'는 자극을 받을 수 있다. 이처럼 도서관에 앉아 있는 동안은 공부와 멀어지기가 쉽지 않다.

그래서 나는 당신이 도서관에 자주 가는 사람이었으면 좋겠다. 반드시 공부를 하지 않아도 좋다. 놀러 가듯 도서관에 가서 서가 사이를 슬슬 돌아다니다가 눈길을 끄는 책이 있으면 몇 권 꺼내서 구경하고, 다른 사람들은 어떤 공부를 하나 슬쩍 엿보기만 한다고 해도 괜찮다. 단지 그렇게 하는 것만으로도 막연하게 '나도 공부를 해야 할 텐데'라고 생각하는 것보다 백배는 더 자극을 받을 수 있으며, 행동으로 옮기게 될 가능성이 크다.

서점도 좋은 자극이 된다

집 근처에 도서관이 없거나 일부러 찾아가기가 부담스럽다면 서점도 좋은 대안이 될 수 있다. 서점도 다양한 책을 직접 만져 보고 어떤 내용인지 살펴 볼 수 있기 때문에, 구경을 한 번 하는 것만으로도 좋은 자극이 된다. 특히 도서관보다는 책을 구경하기 쾌적한 환경이라 지적 호기심이 자극될 확률이 높다. 관심 있는 주제를 다루고 있는 분야의 책장 앞에서 "와, 이 작가 신작이 나왔는데 몰랐네"라거나 "이런 식으로 접근해서 연구할 수도 있구나" 하며 자극을 받을 수 있다는 것이다. 그러다 보면 '안 그래도 요즘 이 주제에 관심이 많았는데, 이런 책이 있네. 한번 사 볼까' 하고 자신도 모르게 책을 구입하기도 한다. 책을 접할 수 없는 장소에만 있었다면 관심 있었던 주제를 깊은 공부로 발전시키지 못한 채 흐지부지 되었을 텐데 공부로 이어지는 끈을 만들어 낸 셈이다.

그래서 나는 일부러 약속을 서점에서 잡기도 한다. 약속 시간보다 좀 더 여유 있게 나가서 어떤 책이 새로 나왔는지 직접 살펴보고 최근의 흐름을 파악하기 위해서다. 짧은 시간동안 여러 분야를 한눈에 확인할 수 있어서 굉장히 좋다. 의욕이 앞서서 생각지도 않게 책을 여러 권 구입하기도 하고, 그런 덕분에 계획에 없던 독서에 열중하는 날도 있다. 새 책이 주는 설렘에 그동안 무뎌졌던 공부 안테나가 생생하게 반응하는 느낌이라고 할까.

공부와 멀어졌다는 생각이 든다면, 공부에 지쳐서 새로운 자극이 필요하다면 도서관과 서점에 가자. 빌 게이츠나 칼 마르크스처럼 책이 어마어마하게 많은 도서관이나 유명한 도서관에 가는 것이 아니어도 좋다. 집 근처에 있는 동네 도서관이나 작은 서점이어도 괜찮다. 책이 있는 공간, 공부가 있는 공간에서 잠깐 쉬는 것만으로도 공부 에너지가 충전되는 것을 느낄 수 있을 것이다.

죽어도 책 읽기가
싫은 사람들을 위한 독서법

시간과 장소에 상관없이 누구든 가장 쉽게 공부를 하는 방법은 바로 책을 읽는 것이다. 책에는 나보다 뛰어난 사람들의 앞선 생각이 담겨 있으며, 그 생각이 과연 논리적으로 옳은지 따지며 읽는 동안 생각하는 힘을 키울 수 있다. 그뿐인가. 다른 사람들은 어떻게 공부하고 어떤 삶을 살아가는지 엿보고 참고할 수 있다. 책을 통해 배울 수 있는 것은 무궁무진하다.

그런데 갈수록 책을 읽지 않는 사람, 책 읽기가 재미없다는 사람이 많아진다. 이들은 "책을 읽지 않아도 인터넷이나 뉴스를 통해 새로운 지식을 접할 수 있기 때문에 사는 데 문제가 없다"라고 말을 한다. 그러나 단지 새로운 '정보'를 접하는 것은 공부와 완전히 다르다. 정보를 내 것으로 만들기 위해서는 생각하고 논리적으로 따져 봐야 하는데, 인터넷 검색이나 뉴스로 접하는 정보들은 그런 과정이 없이 흘러가 버린다. 어떤 새로운 사실을 접했을 때 내 생각을 변화시키거나 자극하지 않고 그냥 스쳐 지나간다면 그것은 정보를 '소비'하는 것이다.

그렇다면 죽어도 책이 싫고 재미가 없다는 사람들은 어떻게 해야 할까? 독서가 재미없고 딱딱하게 느껴지는 것은 자기와의 연결점을 찾지 못하기 때문이다. 그래서 내가 만든 독서법이 바로 '관계지도 독서법'이다. 이 용어는 좁게는 나와 관계가 있는 부분, 흥미를 유발하는 부분부터 찾아 읽는 독서를 지칭하고, 넓게는 재미있었던 책을 바탕으로 그것과 연관되어 있는 책을 찾아 영역을 넓혀 가는 독서를 말한다. 즉 '나'를 중심에 두고 여러 책과 관계를 맺고 다시 그 책들이 스스로 가지를 뻗어 넓혀 가는 지도를 떠올리면 된다. 관계지도를 맺는다는 것은 나의 흥미, 고민, 생각과 연결점을 찾아 잇는다는 의미로 그만큼 독서의 재미가 극대화되고 공부 효과도 커진다.

죽어도 책 읽기가 싫은 사람들이 쉽게 시도해 볼 수 있는 관계지도 독서법을 구체적으로 소개해 보면 다음과 같다.

1. 단 한 줄이라도 마음을 울리는 문장을 찾아보라

내 수업에서 다루는 여러 작품 중에 소포클레스의 『오이디푸스 왕』이 있다. 이 작품은 익히 알려진 대로 주인공 오이디푸스 왕이 자신의 아버지를 죽이고 어머니와 부부가 된 비극을 그리고 있다. 의도한 것은 아니었는데 자신도 모르는 사이에 불행한 운명에 빠져 버린 이 남자의 이야기는 고전 중의 고전으로 손꼽히지만, 현대의 우리에게는 아무래도 이해가 되지 않는다. 너무도 극단으로 몰아붙인 비극이기 때문에 '도대체 이 작품이 왜 최고의 작품이라고 불리는 것일까?', '지금 우리가 이걸 읽고 무엇을 느껴야 할까?'라는 의문이 생긴다.

이런 의문이 생기는 것은 작품과 나 사이의 거리가 너무 멀기 때문이다. 즉 내가 공감할 만한 부분을 찾기보다 평가하고 판단하려는 눈으로 바라보기 때문에 작품의 진면목을 직접 느낄 수가 없다는 것이다.

그래서 나는 학생들에게 먼저 이런 말도 안 되는 비극적인 상황에서 오이디푸스가 내뱉은 말 혹은 예언자가 한 말 중에서 자신의 마음에 가장 큰 울림을 주었던 글귀 하나를 찾아보고, 그 글에 이어서 자신만의 대사를 써 보도록 한다. 즉, '나는 이 글을 쓴 사람이다' 혹은 '이 글 안에서 직접 말을 하고 있다'는 가정을 하고 '나라면 여기서 어떤 말을 할까?' 하고 상상해 보는 것이다. 비록 오이디푸스와 똑같은 시련을 겪을 일은 없겠지만 자기 인생에서 겪었던 가장 힘들었던 일, 슬펐던 일 등등을 떠올려 보면서 작품 속으로 깊이 들어가 본다.

비슷한 방법으로 '인용 노트'를 사용하는 것도 좋다. 책을 읽은 뒤 가장 좋았던 부분, 인상 깊었던 부분을 발췌해서 노트에 쓰고 나의 경험이나 생각과 연결 지어 글을 쓰는 것이다. '나의 경우에는 이렇다'라든가 '예를 들어 나는 이런 식으로 생각했다'라는 식으로 감상을 적는다. 이렇게 하면 나와 관련시켜 가면서 더 적극적으로 책을 읽게 되고, 책의 내용을 자신의 언어, 자신의 생각으로 다시 한 번 정리하며 나만의 방식으로 내용을 이해하게 된다.

이런 과정을 거치고 나면 '내가 이해할 수 없는 작품'이라는 막연한 거부감은 줄어들고 내가 작품에 대해 해설을 했을 때 이해도가 한결 높다. 즉 인간이라면 누구나 자신의 의지와 상관없이 삶이 비극에 처할 수 있는데 그럴 때 우리는 어떻게 해야 하는지, 어떻게 인간의 존엄을 지킬 수 있는지에 대한 질문을 한 번쯤 던져 볼 필요가 있으며 이 작품이 그것을 돕는다는 점을 이해하기가 쉬워지는 것이다. 전적으로 작품에 공감하며 흠뻑 빠질 준비가 되어 있다는 자세를 가지는 순간, 단순히 『오이디푸스 왕』의 줄거리를 이야기하는 수준에서 더 나아갈 수 있다. 저자와 함께 이 세계관과 이야기를 깊이 고민해 보았다는 자부심과 나와 이 작품이 통하는 부분이 있다는 연대감을 느끼게 된다. 나와 소포클레스의 『오이디푸스 왕』이 하나의 선으로 연결되는 그 순간이 바로 관계지도의 시작이다. 책을 점점 더 많이 읽을수록 나를 중심으로 한 지도가 점차 복잡해질 것이다.

2. 내 마음을 대변해 주는 책과 만나라

유행가의 평범한 가사를 듣고 '내 마음을 그대로 대변해 주고 있어', '내 마음속에 들어갔다 온 것처럼 똑같아'라는 생각을 한 적이 있을 것이다. 유행가만 그러리라는 법은 없다. 책을 읽을 때도 내 마음과 생각을 대변해 주는 것 같은 책이 있다. 단순히 책에서 나와 연결 지을 수 있는 한 문장을 찾는 것보다 더 확장해서 책 전체가 내 생각과 일치하거나 비슷한 책을 찾는다는 의도를 가지고 책을 읽어 보자.

먼저 현재 내 관심사와 관련이 있는 분야의 책을 다양하게 읽어 본다. 그중에 '바로 내가 이런 생각을 하고 있었어'라거나 '이렇게 내 마음을 잘 알아주다니 대단해'라는 감동과 동경심을 주는 책을 한 권 선정한다. 그런 뒤에 그 저자의 다른 책을 계속 찾아 읽거나 좀 더 심화된 내용을 다룬 책을 찾아 그쪽 방면으로 계속 공부를 하면 된다. 반대로 '내가 이 사람을 대변한다면 무슨 말을 할 수 있을까?'라고 질문을 던져 보면서 책을 읽는 것도 좋다. 이 책을 지은 사람이 지금 살아 있는 사람은 아니더라도 내가 고민하고 있는 문제 혹은 지금 이 시대의 문제에 대해 한마디 한다면 어떤 말을 할지 상상해 보는 것이다. 이렇게 하면 공부의 폭이 훨씬 깊어진다.

나는 다자이 오사무를 굉장히 좋아하는데, 그 이유가 바로 그의 책이 나를 대변해 주고 있다고 생각하기 때문이다. 처음에 그의 작품을 읽었을 때 그가 생각하는 모든 것들이 내 현재 상황에 정확히 맞아 떨어져 마치 내가 쓴다면 이런 내용일 것이라는 생각까지 들 정도였다. 그러니 내가 다자이 오사무를 좋아하지 않을 수가 있겠는가? 그의 책은 물론 그를 연구한 책까지 찾아 읽으면서 일본 근대문학에까지 관심이 뻗어 나가 내 문학 공부에 큰 도움이 되었다.

나와 어떤 위대한 인물이 연결되어 있다면 그것만큼 멋진 것은 없을 것이다. '누가 나와 잘 맞을까? 이 책에서 찾을 수 있을지도 몰라'라는 설렘을 꼭 느껴 보길 바란다.

3. 책을 따라 넝쿨을 뻗어 나가라

책 읽기에 재미를 붙이게 되면 마치 감자를 캘 때 뿌리를 당기면 감자가 줄줄이 딸려 나오는 것처럼 읽고 싶은 책, 읽어야 할 책이 풍성해진다. 예를 들어서 소설가 이사카 고타로의 작품을 여러 개 읽어 보면 그의 소설에 도스토옙스키가 많이 인용되어 있다는 사실을 금세 알아차릴 수 있다. 실제로 이사카 고타로는 도스토옙스키의 소설을 항상 곁에 두고 자주 읽고 있다는 말을 한 적도 있다. 그렇다면 도스토옙스키의 소설에서 어떤 부분의 영향을 받아 소설을 쓰고 있는지 궁금해지지 않겠는가? 자연스럽게 도스토옙스키의 소설을 찾아 읽으며 '아, 그 장면은 도스토옙스키를 소재로 한 풍자였던 거구나' 하고 이해할 수 있게 된다. 도스토옙스키를 새롭게 만날 수 있게 된 것은 물론이고 이사카 고타로의 소설을 이해하는 폭이 넓어진다.

이런 식으로 재미있게 읽었던 책에 소개되었던 책, 좋아하는 작가가 '나는 이런 책을 좋아한다, 여기에서 영향을 받았다'라고 밝힌 책 등 연관이 있는 책을 계속 찾아 읽으면 관계지도가 점차 복잡해진다. 나를 중심으로 책 A, B, C 등이 연결되어 있던 지도에서 책 A를 중심으로 새로운 선이 뻗어 나가는 것이다. 자연스럽게 지도의 크기가 무한정으로 뻗어 가며 확대된다.

이렇게 책을 읽으면 똑같은 책을 10권 읽더라도 내가 어떤 관심사나 어떤 생각에 따라 책을 읽었는지 파악하기가 쉽고, 끊임없이 파고들어 가면서 깊이 있는 독서를 할 수 있다. 또한 '지적 호기심'을 잃지 않고 계속해서 자극할 수 있다. 처음에는 흥미가 없는 것처럼 보이는 분야도 관계지도와 연결이 되는 순간 적극적으로 알고 싶어진다.

책이 재미없고 싫다는 것은 당신만의 잘못은 아니다. 그만큼 어렸을 때 책을 읽는 재미를 느낄 틈도 없었다는 뜻이니 말이다. 그렇지만 책 속에 수많은 지식과 지혜가 담겨 있는데 그것을 외면하는 것은 눈앞의 보석을 보고도 줍지 않는 것과 같다. 지금이라도 늦지 않았으니 내 흥미를 자극할 수 있는 책들을 찾아 관계지도를 그려 보기 바란다.

공부를 할 때 쓸데없이 융통성 없는 성실함이 문제가 될 때도 있다. 책을 끝까지 다 읽어야 한다며 억지로 붙잡고 있다 책이 싫어진다면 그것이 더 문제다. 실제로 1년에 책을 300권 이상 읽는 다독가들도 자기에게 들어온 모든 책을 처음부터 끝까지 다 읽는다고 말하지는 않는다. 책의 종류에 따라 필요한 부분을 찾아 발췌하며 읽기도 하고, 처음부터 끝까지 빠른 속도로 훑어보면서 대강의 내용을 파악하는 것으로 독서를 끝내기도 한다. 모든 책을 집중해서 완독하지는 않는다는 것이다.

처음부터 끝까지 모두 읽어야 한다는 압박감은 버리고 어떤 책이든 일부분이라도 읽으면서 좋은 부분, 나와 통하는 부분들을 찾아보라. 만약 '이거다' 싶은 부분을 만나 불꽃이 터진다면 그 불꽃을 시작으로 더 깊이 있게 공부를 해 나갈 수도 있다. 거기에서부터 공부가 시작되는 것이다.

고전을 읽을 때
잊지 말아야할 것들

독서에서 빠지지 않는 주제가 바로 '고전을 어떻게 읽을 것인가?'이다. 고전에는 인간에 대한 통찰과 삶의 지혜가 담겨 있어서 인생의 조언자로 삼을 수 있고, 한 시대를 변화하게 했던 위대한 사상들이 어떤 맥락을 바탕으로 나타났다가 사라졌는지, 어떻게 세상을 변하게 했는지를 배울 수 있게 해 준다. 단지 한 번 읽고 "아, 재미있었어"하고 끝나는 책이 줄 수 없는 가치들을 담고 있다.

그래서 고전은 읽을 때마다, 읽는 사람의 상황과 조건에 따라 다시 새롭게 해석하고 감동을 얻을 수 있다. "30년도 넘게 니체

를 공부했지만, 그의 책을 읽을 때마다 새로워요"라거나 "베토
벤의 음악은 들을 때마다 깊은 감동을 준다"와 같은 말을 하는
사람을 본 적이 있을 것이다. 그만큼 고전은 한두 번으로는 다
알 수 없는 깊이를 가지고 있고, 몇 번이고 곱씹어 공부하고 음
미할 수 있다.

그런데 문제는 몇 번이고 다시 볼 가치를 가지고 있는 이 좋은
고전이 '너무 어렵다'는 것이다. 독서를 좋아하는 사람들도 고전
을 몇 권 사서 맨 앞의 몇 장을 읽다 도저히 무슨 말인지 이해할
수가 없어서 포기하고 말았다는 고백을 많이 한다. 읽자니 너무
어렵고, 외면하자니 손해인 것 같은 고전. 어떻게 읽어야 할까?

끝까지 읽을 수 있는 쉬운 책으로 시작하라

고전은 어렵다. 원전 자체가 난해한 경우, 번역이 매끄럽지 않아
서 더 이해가 가지 않는 경우, 배경 지식이 부족한 경우 등등 이
유는 여러 가지가 있다. 특히 철학서의 경우 원전 자체가 친절하
게 설명되어 있는 경우도 드물고, 여러 방향으로 해석할 여지가
많은 경우도 있기 때문에 책 읽는 훈련이 덜 되어 있는 사람은
열 장 이상 읽기도 어렵다.

이럴 때는 책 읽기를 포기하지 말고 원본을 풀어서 설명해 주

는 해설서를 먼저 읽어 보는 것이 좋다. 해설서는 그 분야의 전문가가 주요 사상을 중심으로 발췌하고 정리하면서 그것이 의미하는 바를 해설해 주는 식이 대부분인데, 최소한 어떻게 읽고 이해해야 할지 감을 잡을 수 있어서 굉장히 유용하다. 한 가지 주의할 점은 사람에 따라 해석의 방향이 달라질 수 있기 때문에 잘못 쓴 해설서를 읽으면 그릇된 이해를 하게 될 가능성도 있다. 그러므로 이런 경우 많은 사람들의 검증을 거친 책, 해당 방면으로 공부를 많이 한 사람이 쓴 책을 고르는 것이 좋다.

나의 경우 처음으로 『논어』를 읽어 봐야겠다는 생각이 들었을 때, 먼저 소설가이자 사회교육가인 시모무라 고진의 『논어』를 먼저 읽었다. 이 책은 『논어』를 잘 모르는 사람들도 쉽게 읽을 수 있도록 친절하게 풀어 주는 아주 좋은 해설서이다. 또한 단지 내용을 잘 이해하는 것만이 아니라 지금, 현대의 과제로 끌어들여서 우리 스스로 지금의 삶과 연결 지어 생각할 수 있도록 이끌어 준다. 좋은 해설서를 만나서 '내가 공부하기에는 너무 어려울 것'이라는 고정관념을 허물고, 해설서가 아닌 원전을 읽고 싶다는 욕구가 생긴다면 그 독서는 성공인 셈이다. 그런 뒤에 원전에 도전해 스스로 읽어 나가면서 고전을 공부하는 재미를 알아 가면 된다.

고전을 깊게 읽고 싶다면

고전을 읽는 사람이 빠지기 쉬운 함정 중에 하나가 바로 책의 권위에 압도당해서 비판적인 독서를 하지 못하는 것이다. 우리는 작가와 그가 쓴 책에 대해 지나칠 정도로 존경심을 가지고 있어서, 비판적인 눈으로 책을 읽는 것에는 매우 취약하다. 그렇지만 세상에 영원하고 절대적인 진리는 없으며 저자 역시 얼마든지 논리적으로 오류가 있는 생각을 할 수도 있다. 어떤 위대한 사람의 책이든 대담하게 파고들고 비판해 보아야 한다. 무비판적으로 책을 읽어서는 공부가 되지 않고 재미가 없다. '저자가 똑똑한 사람이니까, 시대를 바꾼 사상을 탄생시켰으니까'라는 생각은 버리고 한번쯤은 용감하게 저자와 대결한다는 느낌으로 책을 읽어 보자.

- 왜 이런 식으로 생각했을까? 내 생각은 달라. 나라면 이렇게 생각했을 거야.

- 이 생각의 한계는 무엇일까?

- 이 사상의 반대쪽에 서 있는 생각은 어떤 것들일까?

이런 식으로 의문을 제기하면서 책을 읽으면 고전을 이해하고 해석하는 틀이 훨씬 넓어진다.

내 수업에서 『오이디푸스 왕』을 읽은 학생이 '오이디푸스가 자신의 눈을 찔러 눈을 멀게 만들었다'는 결말을 여자 친구에게 이야기해 줬다고 한다. 그런데 그 친구의 반응이 굉장했단다. "거기서 눈을 멀게 하는 게 무슨 소용이야? 앞으로 어떤 일이 생길지도 모르면서 안 해도 될 말까지 해서 결국 자기 자신한테 저주를 퍼부은 꼴이 된 거잖아. 그런 성격으로는 눈이 멀어도 문제야"라고 했다는 것이다.

나는 이 이야기를 들었을 때 '그런 방식으로 읽을 수도 있구나' 하는 생각에 충격을 받았다. 여기서 '눈을 멀게 했다'는 것은 상징적인 의미인데, 그 의미를 파악하려고 애쓰는 것이 대부분 학생들의 독서법이다. 그런데 그녀는 저자의 생각이 정말 맞는 것인지 비판적으로 생각하고 의견을 말한 것이다. 단편적인 대화였지만 저자나 책의 권위에 아랑곳하지 않는 태도가 인상적이었다. 여기에서 더 발전하면 '이런 의도를 가지고 있었다면 필연적으로 이렇게 전개되는 것이 더 낫다'라는 수준까지 이르러 텍스트를 자유자재로 읽을 수 있다.

책을 읽을 때 겸허함을 갖는 것도 좋지만 동시에 '인을 실천할 때는 스승에게도 양보하지 말아야 한다'는 공자의 가르침 역시 잊지 않으면 좋겠다. 중요한 가치를 실천하거나 진리를 탐구할 때에는 나보다 뛰어난 사람이라고 눈치를 보며 우대하거나 양보할 필요가 없다.

　물론 이렇게 비판적으로 책을 읽는다는 게 쉬운 일은 아니다. 작가가 틀릴 수 있다고는 해도 우리보다 해당 분야에 대해 더 많이 공부했고, 깊이 생각한 것은 사실이기 때문이다. 그러나 이런 도전하는 자세, 적극적인 자세를 가지고 있다면 한 단계 더 성장할 것이라고 생각한다. 망설이지 말고 날카로운 질문을 던지며 고전을 읽어 보자. 아마 그전에는 미처 보이지 않았던 무궁무진한 이야기들이 쏟아져 나올 것이다.

공부가 되는 대화
vs.
시간을 낭비하는 대화

배운다는 것이 타인과 만나 내 세계를 넓혀 가고 더 나은 자신으로 성장하는 것이라고 정의할 수 있다면, 우리가 평소에 수많은 사람들을 만날 때마다 배움의 기회가 주어지는 셈이다. 그런데 어떻게 대화하고 소통하느냐에 따라 서로에게 도움이 되는 '배움'이 생길 수도 있고, 전혀 의미 없는 수다만 떨다 끝날 수도 있다.

공부가 되는 대화란

두 명 이상의 사람이 대화를 나눈다는 것은 일방적으로 자기 생각만 이야기하는 것을 의미하지 않는다. 대화는 상호작용이기 때문에 상대방의 의견을 듣고 질문을 던지거나 내 생각을 덧붙여 이야기하면서 내가 가졌던 생각이 변하기도 하고, 갑자기 새로운 아이디어가 떠오르기도 한다. 즉 서로 의견을 주고받으며 생각을 자극하고 발전시켜 나가는 것이 공부가 되는 대화다. 생각이 어느 방향으로 발전했는가의 문제는 별개로 '변화' 자체가 없었다면 그 대화에서는 배울 것이 없었다는 말이다.

이런 경우도 있을 수 있다. 나는 대학에서 학생들을 가르치고 있는데, 초등학교 선생님과 만나서 대화를 나눈다고 하자. 각자 자신의 분야에서 많은 경험을 쌓아 왔고, 몇 년 동안 학생들이 공부를 어떻게 생각하는지, 어떤 방식으로 공부를 하는지 관찰하면서 얻은 자신만의 관점이 있을 것이다. 대학 교수와 초등학교 선생은 접점이 없는 것처럼 보일지도 모르지만 '교육과 학생'이라는 카테고리 안에서 상대방이 절대 알 수 없는 경험과 노하우, 관점을 주고받을 수 있다. 이런 게 공부가 되는 대화이다.

공부가 되는 대화는 '말을 잘하는 것'과는 다르다. 물론 말을 잘한다는 것은 상대방이 흥미를 잃지 않도록 혹은 이해하기 쉽도록 말을 도구로써 잘 이용한다는 것을 의미한다. 그러나 그게 일방적으로 내 할 말만 하는 경우라면 공부가 된다고 보기는 어렵다. 오히려 다른 사람들과의 대화 속에서 더 많은 것을 배우고 자신을 변화시킬 수 있는 가능성을 스스로 차단하고 있는 셈이다.

창조적인 자극을 주는 관계를 맺어라

혹시 어떤 사람을 만났을 때 '저 사람이 말한 영화를 한번 봐야겠다'거나 '지금 얘기에 나온 책을 다시 찾아서 읽어 봐야겠다'라는 생각을 한 적이 있는가? 그런 생각을 했다면 그 사람은 나에게 지적 자극을 주는 사람이었으며, 그와 나는 창조성이 싹튼 관계라는 것을 의미한다. 누구를 만나든, 내가 상대방에게 혹은 상대방이 나에게 어떤 지적 자극을 줄 수 있을지 호기심과 기대를 가지고 대화를 시작하면 대화의 양상이 많이 달라질 것이다.

사람을 만나 사귀는 동안에도 우리는 배우고 발전한다. 어떤 친구를 새로 사귀었는데, 그 친구가 마침 재즈에 일가견이 있는 사람이라고 치자. 처음에는 사람이 좋아서 만났을 뿐이었지만 만나서 대화를 나누고 상대방이 어떤 사람인지, 어떤 생각을 가지고 있는지 알아 가다 보면 자연스럽게 나 역시 재즈와 좀 더 가까워질 기회가 많아진다. 그러다 보면 '재즈가 어렵다고만 생각했는데. 나쁘지 않은걸? 나도 재즈를 좀 더 들어 봐야겠어'라는 생각이 들 것이다. 이런 식으로 상대방과 관계를 맺으면서 관심이 가는 분야를 넓힐 수 있으며 그에 따라 아는 것, 배울 것이 점차 많아진다. 이런 창조적인 자극을 줄 수 있는 관계를 많이 만들 수 있다면 나도 모르는 새에 저절로 발전해 있지 않을까.

회의를 공부가 되는 대화로 만들려면

회사나 학교에서 하는 회의를 '공부가 되는 대화'로 만들 수 있을까? 나는 가능하다고 본다. 만약 어떤 사안에 대해 이야기했을 때, 그 자리에 있는 사람들이 '지출이 너무 많다', '실패했을 때는 돌이킬 수가 없는 결과를 가져 온다'는 식으로 자유롭게 의견을 제안하고 그 과정을 통해 최초의 기획과는 다른 기획으로 정리가 되었다면 그것은 공부가 되는 대화다. 처음의 아이디어에서 더 나은 방향으로 수정되었기 때문이다.

그런 의미에서 '브레인스토밍'은 아이디어를 발전시키고 싶을 때 사용할 수 있는 가장 쉽고 편리한 방법이다. 브레인스토밍은 어떤 일정 주제에 대해 회의를 할 때, 폭풍우가 치듯 생각나는 대로 아이디어를 자유롭게 이야기하는 토론 방식을 말한다. 여기서 중요한 것은 말이 되든 안 되든 상관없이 마음껏 하는 것이다. 오히려 이상한 말을 하는 사람이 있는 게 낫다. 누군가가 처음에 이상한 말을 하면 분위기가 조금 풀어지면서 토론에 참여하기가 쉬워지고 발상의 폭이 넓어지기 때문이다. 또한 절대로 아이디어를 비판하거나 섣부른 결론을 내서는 안 된다. 효율적으로 토론을 마치는 것보다 어디에서도 생각할 수 없었던 창의적인 생각들을 이끌어 내는 것이 중요하기 때문이다.

여러 사람이 마구 의견을 내고 그 의견들이 뒤섞이고 발전하면서 경직된 회의에서는 절대 나올 수 없는 번뜩이는 아이디어가 나오게 된다. 이런 식으로 여러 사람이 머리를 모아 서로 자극을 줌으로써 새로운 아이디어가 나오고, 그것을 발전시켜 창조적인 결과물을 만들어 낼 수 있다.

만약 당신이 낯선 사람과 우연히 짧은 대화를 나누든, 친구와 속 깊은 이야기를 나누든, 회사에서 주간 회의를 하든 특별한 것이 없어 보이는 일상의 대화 속에서도 무엇인가 배울 수 있다는 마음가짐을 가지고 있다면 지적인 자극을 받아 창조적인 아이디어를 만들어 낼 가능성이 많아질 것이다. 어디서 어떤 대화를 나누든 이 사람과의 짧은 만남이 내 인생을 바꾸는 공부가 될지도 모른다는 마음으로 살아 보길 바란다.

어떤 수업이든 끝날 때까지
3가지 질문거리를 만들어라

일본의 기업가 혼다 소이치로는 혼다를 설립한 일본의 대표적인 기업가이다. 그는 초등학교에서 한 공부가 평생 한 공부의 전부이지만 일본 자동차 산업을 이끈 사람 중에 하나로 손꼽히고 있다. 그는 자신이 공부를 많이 한 것은 아니지만 다른 사람들에게 뒤처지지 않을 수 있었던 비결로 '거침없이 물어보는 성격'을 꼽았다.

"나의 특징은 툭 터놓고 물을 수 있다는 것이 아닐까 생각한다. 즉, 학교를 다니지 않은 것을 간판으로 내세우고 있으니 모르는 게 있어도 이상할 건 없다. 그래서 구애받지 않고 아무에게

나 물을 수 있었다."

만약 당신이 초등학교만 졸업한 사람이라면 어땠겠는가? 아마 자신의 보잘 것 없는 학력을 부끄러워하며 혹시라도 '역시 아는 것이 별로 없는 사람'이라는 평을 들을까 봐 궁금한 것이 있어도 묻지 못한 채 전전긍긍했을 것이다. 그러나 그는 자신의 부족함을 숨기지 않았고 모르는 것을 물어보기를 부끄럽게 여기지 않았다.

오히려 모르는 게 있어서 책으로 그것을 찾으려고 한다면 500페이지를 뒤져야 하니, 차라리 그 시간에 답을 알고 있는 사람에게 묻는 것이 가장 빠르고 효율적이라는 게 그의 생각이었다. 그는 알고 싶은 것이 있으면 그 답을 알 만한 사람을 찾아가 주저 없이 묻고 도움을 요청했고, 그런 덕분에 전문가들의 능력을 자신의 것으로 만들어 탁월한 성과를 거둘 수 있었다.

좋은 질문을 던지고 싶다면

많은 사람들이 질문하는 것을 굉장히 두려워한다. 사람이 많은 자리일수록 그 두려움은 더 크다. 질문을 한다는 것이 내가 잘 모른다는 사실을 시인하는 것처럼 보일까 봐, 남들이 생각하기에 별것 아닌 것을 묻는 것처럼 보일까 봐, 남들 앞에서 나서는 것이 부담스러워서 등등 이유는 다양하다. 그런데 질문을 꺼리는 이유들을 살펴보면 모두 남들의 시선을 의식하는 것에서 비롯된 것이다. 남들이 어떻게 생각할지 겁이 나서 내가 정답으로 가장 빨리 갈 수 있는 길을 앞에 두고 멀리 돌아간다는 것은 좀 우스꽝스럽지 않은가? 그것보다는 좋은 질문을 던져서 나는 물론이고 대답하는 상대방, 함께 공부하는 사람들에게 모두 도움을 주어야겠다는 생각을 하는 것이 더 낫지 않을까.

좋은 질문을 하기 위해 나는 이런 방법을 쓴다. 강연을 듣는 동안 간단하게 필기를 하면서 질문거리를 따로 적어 둔다. 그리고 중요도에 따라, 내가 가장 궁금하게 여기는 정도에 따라 1부터 3까지 번호를 매겨 둔다. 이렇게 구별을 해 놓으면 강연이 끝난 직후 중요한 질문부터 차례대로 질문을 던질 수 있다.

만약 상황이 여의치 않을 때는 적어 둔 질문 중에서 가장 중요한 것을 하나 고르는데, 여기서 또 하나 고려해야 할 것은 '다른 사람들도 이 질문에 흥미를 느낄까?'이다. 강연이 끝난 뒤에 생각나는 대로 질문을 하면 별로 중요하지 않은 질문을 던지게 될 수도 있고, 개인적으로만 중요하지 다른 사람들에게는 부차적인 문제를 언급하게 될 수도 있다. 그러다 보면 시간이 부족해져서 다른 사람들이 질문할 기회를 빼앗는 셈이 된다. 만약 나 혼자만 질문을 던지는 거라면 상관없겠지만 여럿이 있는 자리에서는 민폐다. 이럴 때는 여러 사람을 배려하는 차원에서 생각하는 것이 좋다.

혼자 공부를 할 때는 스스로에게 질문을 던져라

스스로 질문을 던지고 답을 찾는 과정은 혼자서 공부를 할 때 굉장히 도움이 된다. 어떤 질문을 던질까 고민하는 동안 머릿속에서 내용이 정리되고, 전체를 보면서 핵심을 한두 문장으로 요약할 수 있으며, 여러 각도에서 내용을 점검할 수 있다. 즉, 질문은 내용을 가장 잘 이해할 수 있게 하는 사고 과정이다. 오늘 계획했던 공부를 다 마쳤을 때 공부한 내용을 정리하고 이해하기 위한 방법으로 '스스로에게 질문하기'를 시도해 보라. 요점 정리를 하는 것보다 매우 유용하다는 것을 알 수 있을 것이다.

　나는 '사이토 다카시식 공부법'을 배울 수 있는 학원을 운영하고 있는데, 여기에서 주로 사용하는 교육법이 바로 '서로 질문 던지기'이다. 학생들을 두 명씩 짝지은 다음 오늘 공부한 내용을 가지고 거꾸로 문제를 만들어서 상대방에게 질문을 던지게 한다. 보통 문제를 읽고 답을 적는 방식의 공부만 했을 때는 보이지 않았던 원리나 핵심을 스스로 문제를 만들어 보면서 자연스럽게 찾아낼 수 있다. 좋은 문제, 상대방이 어려워하는 문제를 내기 위해 게임하듯이 겨루다 보면 그날 배운 것들이 금세 잊혀지지 않고 머릿속에 오래 남는다.

만약 '이 질문을 던져도 될까'하는 생각에 멈칫하게 된다면 아인슈타인이 남긴 이 말을 잊지 않길 바란다. "중요한 것은 질문을 멈추지 않는 것이다."

나를 즐겁게 한 순간을 기록하라

일본 전통예술 중에 '라쿠고'라는 것이 있다. '라쿠고가'라고 불리는 사람이 무대 위에 앉아 재미있는 이야기를 들려주면서 목소리, 손짓, 얼굴 표정 등으로 연기를 하는 이야기 예술이다. 볼거리나 즐길거리가 많지 않았던 옛날에는 사람들이 많이 보이는 길이나 시장에서 성행하던 오락이었지만 지금 라쿠고를 즐기는 사람은 많지 않다. 어쩌다 한두 번 보게 되더라도 고어와 방언이 많이 섞여 있어서 요즘 사람들에게는 무슨 말인지 이해하기 어렵고, 지루한 공연으로 느껴지기 쉽다. 나 역시 그랬다.

그런데 우연히 TV 강연을 위해 방송국에 갔다가 '라쿠고가'와

이야기할 기회가 있었다. 그의 말에 따르면 라쿠고의 내용 자체
는 책을 읽어서 외울 수 있지만 말투나 속도, 사이를 두는 기술
같은 부분들은 스승이 하는 것을 보고 하나하나 배워야 한단다.
스승의 입말을 수십 번씩 따라 하면서 내 것으로 만든다는 이야
기를 들으니 정말 대단하다는 생각밖에 들지 않았다. 지금이야
녹음이나 녹화 기술이 발달했지만 옛날에는 스승이 몇 번 들려
주는 것을 하나라도 놓치지 않기 위해 엄청난 노력을 기울여야
했을 것이다. 이렇게 라쿠고에 대한 뒷이야기들을 듣고 나니 나
도 모르게 '라쿠고에 대해 더 알고 싶다'는 생각이 들었다.

  그래서 취미 삼아 라쿠고에 대한 책을 찾아 읽기도 하고 라쿠
고 공연을 직접 찾아가는 식으로 공부를 시작했다. 그렇게 라쿠
고에 대해 아는 것이 조금씩 생기자 신기하게도 라쿠고가 새롭
게 보이기 시작했다. 그전에는 지루하고 고루하게만 느껴졌는
데, 이해할 수 없었던 대사가 들리고 왜 저런 말을 하는지 맥락
이 보이니 그 어떤 TV 예능 프로그램보다 재밌어진 것이다.

공부로 경험한 즐거움을 기록해 보자

공부를 하고 어떤 것에 대해 제대로 이해하게 되면 그만큼 더 많
은 것이 보인다. 맥락을 몰라 이해할 수 없었던 것들이나 겉으

로 드러나 있지 않은 부분이 보이니 그것을 찾아가는 재미가 점점 커진다. 소설을 읽든, 영화를 보든, 음악을 듣든 마찬가지다. 영화에 숨겨진 상징이나 감독 특유의 기법을 읽을 줄 아는 사람과 그것을 모르는 사람은 똑같은 영화를 봐도 감동과 재미가 다르다. 그 분야에 대해 공부를 하고 아는 것이 많아질수록 세상에 재미있는 일이 하나 더 늘어난다.

이 사실을 깨달은 후 나는 '공부 일기'를 쓰기 시작했다. 내가 말하는 공부 일기란 거창한 것이 아니다. 하루 일정을 적는 스케줄 수첩이든 평범한 노트든 하나를 정해 날짜를 적고 오늘 공부한 것에 대해 3줄 정도로 아주 간단하게 적는다.

절대 얼마나 '많이' 공부했는가에 연연해하지 않는다. 라쿠고 공연을 봤는데 새로운 점을 알게 되어 재미있었다는 아주 사소한 이야기도 쓰고, 영화를 보다 잠들었다면 왜 집중을 못한 것 같은지를 적기도 한다. 중요한 것은 나는 오늘을 어떻게 보냈는지, 무엇을 배우고 거기에서 어떤 재미를 느꼈는지를 최대한 구체적으로 기록하는 것이다.

이렇게 하면 좋은 점이 두 가지가 있다.

첫째, 내가 공부하는 삶을 살고 있는지 확인할 수 있고, 작은 성과도 시각적으로 확인할 수 있다. 공부 일기가 한두 달 쌓였을 때 지난 일기들을 쭉 보면 내 공부의 흐름을 파악할 수 있으며 하다못해 영화 한 편을 본 뒤 어떤 생각을 했는지 확인하는 것이 가능하다.

이 기록은 공부하기 싫을 때, 포기하고 싶을 때 힘이 되어 준다. 매일매일 꾸준히 적어 나간 공부 일기를 한번 훑어보는 것만으로도 그 뿌듯함과 감동은 생각보다 크다. '맞아, 이때 읽던 책이 정말 이해가 안 돼서 포기하고 싶었지' 하고 곱씹으며 공부하는 것이 쉬운 것은 아니지만 아예 못할 일도 아니라는 것을 확인할 수 있고, '그래도 지나서 보니 내가 한 게 없는 것은 아니었구나, 처음보다 이만큼 발전했구나' 하고 성장한 자신을 칭찬할 수도 있다.

둘째, 매일 똑같아 보이는 일상에 즐거움이 생겨난다. 공부 일기는 곧 매일 찾아낸 새로운 즐거움을 적은 일기와 같다. 내 삶이 특별한 일도 없이 반복되는 줄 알았는데 새로운 것을 배우고 어려움을 극복하며 날마다 다르게 채워지고 있다는 사실을 알게 되면 뿌듯하지 않겠는가. 삶이 너무 재미없고 지루하다는 사람에게 의욕을 북돋워 주는 데 공부 일기만큼 빠르고 유용한 약은 없을 것이다.

오늘 공부를 한 것들, 공부하며 느꼈던 즐거움과 재미를 공부 일기에 하나씩 기록해 보라. 그 기록은 당신이 매일 조금씩 성장해 나가고 있으며 세상 그 누구보다 즐겁게 살고 있다는 증거가 될 것이다.

경계 없이
세상 모든 것으로부터
배워라

　내 제자 중에 "공부는 여행에서 시작된다"라는 말을 하는 제자
가 있다. 이게 무슨 말인가 하면, 이 제자는 바쁜 직장 생활에서
유일한 낙이 1년에 한 번 여행을 다녀오는 것인데 여행을 다녀오
면 자신의 공부 주제가 바뀐다는 것이다. 처음에는 단지 아름다
운 풍경이나 고풍스런 건축물, 맛있는 먹거리에 끌려 여행을 가
지만 여행하는 동안 그곳의 역사와 문화, 언어 등을 직접 접하게
되면서 그 나라에 대한 관심이 커지고, 그 관심이 여행의 즐거운
기억과 합쳐져서 '이 나라를 더 알고 싶다'라거나 '이 언어를 배
워 봐야겠다'라는 의욕으로 이어진단다. 그 제자는 지금 터키어

를 공부하고 있는데, 그 계기도 터키 여행을 다녀온 것에서 비롯되었다고 한다.

터키어를 공부해서 당장 써먹을 데가 있는 것도 아니고, 터키어를 자유자재로 할 수 있을 정도까지 될지는 잘 모르겠지만 추억도 떠올릴 수 있고 언젠가 다시 여행을 갈 것이라는 설렘도 간직할 수 있어 마냥 즐겁다고 말하는 제자의 얼굴이 환했다. 한번 잘 놀고 오는 휴가로 끝나는 것이 아니라 공부와 연결 짓는다는 게 참 좋은 아이디어라는 생각이 들었다.

흔히 책을 읽고 생각을 하고 글을 쓰는 것만이 공부라고 생각하지만, 세상으로 눈을 돌리면 배울 것이 무궁무진하다. 그리고 그것을 다시 내 공부와 결합시켰을 때 그 공부는 내 인생을 위한 나만의 공부가 되며 배움의 영역을 무한대로 넓힐 수 있다. 취업이나 시험을 위해서가 아닌 순전히 나 자신을 위해서 터키어를 공부하겠다는 사람이 얼마나 되겠는가. 하지만 나는 그 제자의 공부가 절대 헛된 것이 아니며 오히려 인생의 깊이를 더해 줄 것이라고 생각한다.

공부 방학으로 새로운 에너지를 얻자

공부하는 삶을 살다 보면 성과가 잘 나지 않는 슬럼프가 오기도 하고, 공부 외에 다른 일로 심신이 지쳐서 제대로 집중하기 어려울 때가 있다. 그럴 때 '왜 지금 공부가 잘 안 될까' 하며 지나치게 자신을 몰아붙이면 역효과가 날 수 있다. 공부를 한다는 것이 의무가 되고, 스트레스로 느껴져서 아예 그만두고 싶다는 생각이 든다는 것이다. 그런 때가 오면 너무 애쓰지 말고 '공부 방학'에 들어가라. 그리고 세상으로 눈을 돌려 새로운 공부 에너지를 채워라. 내 제자가 여행을 통해 새로운 공부를 시작한 것처럼 말이다.

본래 방학은 날씨가 너무 덥거나 추워서 공부에 집중하기 어려우니 잠시 휴식을 취하면서 돌아올 새 학기를 준비하기 위해 생겨난 것이다. 몇 달 동안 쌓였던 피로를 풀며 학교를 벗어나 공부에 도움이 되는 다양한 경험을 하고, 다시 시작될 학기를 미리 준비하는 것이 방학의 의미다.

그래서 학교에서는 학생들이 바쁜 학기 중에는 할 수 없었던 교과 외 공부에 도전해 보고, 가족들과 함께 여행을 가서 학교에서 배웠던 것을 직접 보고 체험하는 활동을 적극 권장한다. 이런 의미를 살려, 책상 앞을 떠나 세상 속에서 다양한 공부를 해 보자. 대신 방학을 하기로 결심했다면 몇 가지 주의해야 할 사항이 있다.

1. 어떤 공부든 좋으니 주제를 정해라

만약 무작정 방학을 시작하면 방학의 목적이 '세상 속에서 공부하기'가 아니라 '휴식'으로 바뀔 수 있다. 물론 제대로 잘 쉬는 것은 평생 공부하는 삶을 사는 데 매우 중요한 요소다. 그렇지만 내가 여행을 가든, 취미 생활을 하든, 하다못해 어떤 감독의 모든 영화를 찾아 보든 무언가를 배우겠다는 마음가짐으로 하는 것과 쉬겠다는 의도로 하는 것은 완전히 다르다. 공부의 종류는 경계를 두지 않되, 자유롭게 나만의 주제를 정해서 '이번 방학을 통해 이것을 배웠다'라고 최소한 한 가지는 말할 수 있어야 한다.

2. 기한을 정하고 시작하라

기한 없이 방학을 시작했다가는 원래 하던 공부 패턴을 잃고 영영 공부를 그만두게 되는 수가 있다. 여행을 떠나기, 새로운 취미를 가져 보기, 미술관 투어하기 등 주제가 무엇이 됐든 자유롭게 즐기며 새로운 에너지를 얻고 다시 공부로 돌아가야 하는데 목적을 까맣게 잊게 되는 것이다. 공부에 경계를 없애려다가 아예 공부 자체가 흐지부지 희미해지는 상황이 벌어진다. 그러니 미리 기한을 정해서 잘 지키고, 예전처럼 공부하는 삶으로 다시 돌아와서 내 공부의 목적과 방향을 다시 점검해 보아야 한다.

한 가지 공부에 깊이 몰입하느라 지쳤다는 생각이 든다면 그동안 가졌던 공부에 대한 모든 스트레스와 압박을 완전히 내려놓고 새로운 활동에 흠뻑 빠져 보길 바란다. 예상치도 못한 곳에서 공부 에너지를 얻게 될 것이며, 공부와 세상이 더 즐거워질 것이다.

몸에 밴 공부가 진짜다

일본의 철학자 가다 겐 주오대 명예교수는 독일어, 라틴어, 그리스어, 프랑스어 등 여러 외국어에 매우 능통하다. 그는 대학에 입학한 후 철학에 도움이 되는 독일어와 라틴어 등을 차례로 공부했고, 대학원에 간 후에는 프랑스어를 공부했다고 한다. 어떻게 이렇게 많은 언어를 배울 수 있었는지 정말 신기할 따름이다.

그는 대학에 들어가기 위해 영어를 공부하면서 영어 교재에 '이 책에 나오는 단어를 전부 외우면 단어 6,000개가 자신의 것이 된다'라는 말이 나온 것을 보고 책에 나온 단어를 다 외웠다고 한다. 무식하리만큼 통째로 외우는 공부법이 자신과 의외로 잘 맞아서 효과가 굉장히 좋았던 것이다. 그래서 그 이후로 세계사, 철학 등 다른 과목도 교과서와 참고서를 그대로 외우는 식으로 공부를 했다. 그는 암기가 자신에게 제일 잘 맞는 공부법이라는 것을 발견한 후 그것을 무기로 삼아 공부해 눈부신 성과를 얻었다.

이런 이야기를 들으면 정말 대단하다는 생각이 듦과 동시에 '그럼 나도 따라 해 볼까?'라는 의욕이 생긴다. 그렇지만 자기의 견해나 소신도 없이 그저 남이 하는 대로 똑같이 따라 하면 십중팔구 중도에 포기하고 만다. 지금도 많은 사람들이 무작정 남들이 하고 있다는 공부와 공부법을 따라 하고, 기대한 것처럼 성과가 나오지 않으면 '역시 나는 안 되는구나'하고 금세 포기해 버린다. 나에게 정말 필요한 공부이며 잘 맞는 공부법이었는지 따져 보지 않고 내가 의지가 약해서 혹은 노력을 덜 해서 실패한 것처럼 받아들이는 것이다. 정말 안타까운 일이 아닐 수 없다.

남들이 아무리 좋다고 해도 자신에게 잘 맞지 않는 것이 있고, 남들은 다 별로라는데 자신에게는 제일 잘 맞는 것이 있다. 공부도 마찬가지다. 모든 이에게 통하는 공부란 없다. 만약 그런 것이 있다면 우리는 누구나 다 공부를 잘 할 수 있게 될 것이며, 공부법에 관한 수많은 책이 나오지도 않았을 것이다.

성공률 높은 공부법 찾기보다 자신의 성향 파악이 먼저다

공부의 시작은 나와 잘 맞는 공부를 찾아 그 공부가 내 몸에 자연스럽게 배도록 하는 것에서 출발한다. 내 성향과 맞지 않는 공부, 평소 습관과 맞지 않는 공부법을 따라 할 필요가 없다. 그것은 그저 남의 공부를 흉내 낸 가짜에 불과하다.

일이나 인간관계가 뜻대로 풀리지 않을 때마다 사람들은 별자리나 혈액형, 심리 테스트가 말해 주는 조언에 혹하는 경향이 있다. 아무리 미신을 믿지 않는 사람이라고 해도 자신의 별자리나 혈액형별 특징 하나쯤은 알고 있다. 그런데 나는 어떤 '공부 타입'이며 그 특성에 맞는 공부법은 어떤 것인지를 궁금해하는 사람은 별로 없다. 공부 타입이야말로 사람마다 가지각색인데 말이다.

너무 조용한 곳보다 조금 소란스러운 카페나 교실에서 집중이 잘 된다는 사람이 있는 반면 혼자만의 방에 들어가 방문을 닫고 귀마개까지 껴야 공부가 된다는 사람이 있다. 순간적으로 사진을 찍는 것처럼 짧은 시간에 단어를 외우고 금세 잊어버리는 사람도 있고, 외우는 데 시간은 오래 걸리지만 머릿속에 한번 집어넣고 나면 절대 잊지 않는 사람도 있다. 각자의 성향에 따라 완전히 천차만별이다. 즉 자신이 어떤 성향을 가지고 있으며, 어떻게 공부를 할 때 가장 집중이 잘 되고 효율이 좋은지를 제대로 파악한 뒤에 자신에게 맞는 공부를 찾아야 한다.

과거에 공부를 했던 경험을 떠올려 보자. 내가 어떤 상황에 있을 때, 어떻게 공부를 했을 때 공부가 잘된다고 느꼈는지 하나하나 써 보는 것이다. 예를 들어 나는 도서관이나 학교 교실처럼 아주 조용한 곳에서 책상에 앉아 공부하는 것보다 카페, 집 거실 등 몸을 편안히 할 수 있는 곳에서 쉬는 듯 공부하는 듯 하는 것이 잘됐다. 그리고 빨간색, 파란색, 초록색 3개의 색깔을 쓸 수 있는 3색 볼펜을 가지고 필기를 하는 버릇이 있고, 그때 각각의 색깔을 이용해 공부하는 습관이 있어 이 볼펜이 없으면 공부를 할 수가 없다. 이렇게 나만의 공부 환경과 패턴, 습관을 먼저 쭉 적어 본 뒤 그것들을 조합해 나만의 공부법을 만들어 가면 된다. 이렇게 찾아낸 공부법은 내 몸에 잘 맞기 때문에 비교적 수월하게 적응할 수 있고, 효과도 좋다.

다른 사람들의 공부법은 그야말로 참고만 하는 수준이면 충분하다. 나도 책을 통해 소개한 공부법이 굉장히 많지만, 그것은 언제까지나 내 경험과 주변을 관찰한 결과일 뿐이지 그중에서 본인에게 맞는 공부법을 찾아내는 것은 결국 자신의 몫이다. 그러니 나와 완전히 맞지 않는 공부법을 무작정 따라 해서 시간과 노력을 허비하지 말고 나와 잘 맞을 것처럼 보이는 것부터 하나씩 시도해 보라. 그리고 그 시도가 실패로 결론이 나도 너무 실망하지 않길 바란다. 그건 당신의 노력이 부족했기 때문도 아니고 다른 사람보다 뒤떨어진다는 뜻도 아니다. 그저 그 공부 방법이 당신과 잘 맞지 않았던 것뿐이다.

공부를 잘한다는 사람들을 보면 공통점이 있다. 그게 무엇이든 자기에게 최적의 결과를 가져다주는 공부법이 무엇인지를 정확히 알고 있고, 그것을 무기 삼아 노력해 왔다는 것이다. 그들은 "나는 이런 식으로 공부하는 게 잘 맞아"라고 말하지 "그냥 남들이 하던 대로 하니까 되던데?"라고 말하지 않는다. 당신도 늦지 않았다. 자신과 꼭 맞는 공부법을 찾아 어디에서나 든든한 무기로 적극 활용하길 바란다.

최선을 다한 공부는
절대 나를 배신하지 않는다

1990년대에 '탁구 마녀'라는 별명을 가진 탁구 선수가 있었다. 바로 중국의 덩야핑(鄧亞萍)이다. 그녀는 92년, 96년 올림픽 여자 탁구 단식, 복식 2관왕 2연패를 달성했는데, 탁구 실력과 눈매가 너무나 매서워서 '마녀'라는 별명이 붙었다. 그녀가 선수 생활을 하는 동안 세계 대회에서 받은 금메달이 18개, 국내외 대회에서 우승한 횟수가 무려 132번에 이른다.

처음 덩야핑이 국가 대표로 선발되었을 때, 그녀는 불과 열세 살에 키는 150센티미터도 되지 않았으며 키가 작다 보니 팔과 다리가 짧아 선수로서 매우 불리한 신체 조건을 가지고 있었다.

대표팀 코치진은 그녀를 선수로 받아들여야 할지 망설였지만 그녀는 자신의 신체적 한계를 극복하며 실력을 증명해 냈고 결국 세계 최고의 탁구 선수가 되었다. 다른 사람들이 1년 동안 신을 운동화가 한 달 만에 다 떨어질 만큼 무식하게 연습했기에 가능한 결과였다. 내가 탁구에 큰 관심은 없지만 그녀를 기억하고 있었던 것은 엄청난 노력으로 누구에게도 지지 않는 실력을 얻었다는 점 때문이었다.

그런데 몇 년 전, 나는 신문에서 그녀의 소식을 다시 접했다. 그녀가 영국의 케임브리지대학에서 경제학 박사 학위를 취득했다는 소식이었다. 어린 시절 탁구 연습만 하느라 제대로 공부할 시간도 없었을 텐데, 어떻게 케임브리지에서 박사 학위까지 딸 수 있었던 것일까?

그녀는 운동을 그만둔 뒤 중국 칭화대에 특기자로 입학했다고 한다. 그 당시 알파벳도 제대로 구분할 수 없을 정도로 영어와는 거리가 멀었는데, 지독한 노력 끝에 졸업을 하고 영국으로 유학까지 떠난 것이다. 그녀는 케임브리지대학 800년 역사상 세계 정상급 운동선수 출신으로는 최초로 박사 학위를 받은 인물이 됐다.

그녀는 2010년부터 인민일보 계열 검색엔진인 지커닷컴 총경리(CEO)를 맡아 비즈니스라는 새로운 분야에 도전하고 있다. 국가 대표 탁구 선수에서 성공한 CEO로 변신한 그녀를 인터뷰하는 자리에서 한 기자가 "탁구와 박사 학위, 그리고 비즈니스 가운데 무엇이 당신에게 가장 쉽고, 무엇이 가장 어려운 일인가?"라는 질문을 던졌다. 그녀는 이렇게 답했다고 한다. "세상에 쉬운 일은 하나도 없다. 하지만 안 되는 일도 없다."

노력의 힘을 의심하지 마라

덩야핑은 이미 20대에 세계 최고의 자리에 올랐고, 그것만으로도 누구나 쉽게 이룰 수 없는 위대한 목표를 이룬 셈이다. 그런데 거기에서 멈추지 않았다는 사실이 나에게는 너무나 큰 감동이었다.

알파벳도 모르던 사람이 영국 최고의 명문대에서 박사 학위를 받기까지 얼마나 많은 노력을 기울여야 했을까. 남들이 10년, 20년 동안 공부해서 이룬 것을 불과 몇 년 만에 이루느라 얼마나 힘이 들었을지 감히 상상할 수도 없다. 기사에는 그녀가 이룬 성과만 나와 있으니 구체적으로 어떻게 공부를 했는지, 얼마나 노력을 했는지 알 수 없지만, 그녀가 '노력의 힘'을 의심하지 않았던 것만은 분명해 보인다. 탁구 선수 시절, 노력하면 그만큼 결과가 돌아온다는 것을 경험했기에 이후의 새로운 삶에서도 오로지 노력의 힘 하나를 믿고 우직하게 공부해 온 것이 아닐까.

사실 우리는 노력이 얼마나 중요한지를 잘 알고 있다. 에디슨의 '천재는 1퍼센트의 영감과 99퍼센트의 노력으로 이루어진다'라는 말은 이제 너무 많이 들어서 별 감동이 느껴지지 않을 정도다. 노력의 중요성을 강조한 명언이 넘쳐 나고, 노력으로 자신이 뜻한 바를 이룬 사람들의 이야기도 어디에서나 들을 수 있다.

그런데 문제는 우리 스스로 노력의 힘을 믿지 않고 의심한다는 것이다. 노력은 결코 배신하지 않는다는 것을 수많은 사람이 증명해 냈는데도, 나의 문제로 가지고 왔을 때는 '나도 열심히 하면 될까?', '왜 공부를 해도 눈에 띄는 성과가 없을까?'라는 질문을 던지며 이것저것 재고 따진다. 남들이 해냈다면 나도 그만큼 할 수 있다고 생각하며 덤비는 게 아니라 처음부터 '나는 안 될 거야'라고 작정하고 덜 노력하는 것처럼 보인다. 중요한 것은 노력의 힘을 스스로 증명해 보이는 것이며, 그것은 누구나 할 수 있는 일이다. 왜냐하면 노력의 힘은 사람을 가려서 발휘되는 것이 아니기 때문이다.

공부하는 인생을 살기로 마음먹었다면, 노력의 힘을 의심하지 말고 믿어 보라. 공부를 하면서 얻은 모든 것들이 우리 인생을 어떻게 바꿀지 아무도 알 수 없다. 그렇지만 오늘 한 걸음을 내딛었을 때, 그 위치는 분명 어제와 다르다. 그리고 묵묵히 한 걸음 한 걸음 가다 보면 언젠가는 출발점이 보이지 않을 정도로 멀리 와 있음을 깨닫게 될 것이다.

그리고 이 책을 읽으며 아주 잠깐이라도 '그래, 공부를 해 봐야겠다'라는 생각이 들었다면, 그 마음을 쉽게 흘려버리지 말고 한 걸음을 내딛길 바란다. 바로 거기에서부터 공부하는 인생이 시작되는 것이니까.

내가 공부하는 이유

초판 1쇄 발행 2014년 6월 16일
초판 12쇄 발행 2014년 9월 22일

지은이 | 사이토 다카시
옮긴이 | 오근영
발행인 | 서영택
본부장 | 김장환
편집인 | 강수진
편집장 | 주정림
책임편집 | 오민정

디자인 | 이석운
마케팅 | 임종훈, 김남연, 최미현, 권영선
국제업무 | 나현숙, 공은주, 김윤경, 최하나
제작 | 한동수, 류정옥

임프린트 | 걷는나무
주소 | 서울 종로구 인사동 9길 27 가야빌딩 4층
주문전화 | 02-3670-1173, 1595 팩스 | 02-747-1239
문의전화 | 02-3670-1157(편집) 02-3670-1518(영업)
이메일 | walkingbooks@naver.com
홈페이지 | http://cafe.naver.com/walkingbooks, http://www.wjbooks.co.kr
페이스북 | http://www.facebook.com/wjbook
트위터 | http://twtkr.olleh.com/wjbooks

발행처 | (주)웅진씽크빅
출판신고 | 1980년 3월 29일 제406-2007-00046호

한국어 출판권 ⓒ웅진씽크빅, 2014(저작권자와 맺은 특약에 따라 검인을 생략합니다.)
ISBN 978-89-01-16519-6 03100